3 학년이 꼭 ✓ 알아야 한

수학 서술형

서술형

꼭 알아야 할 수학

특징

1. 다양한 서술형 문제를 제시된 풀이 과정에 따라 학습하고 익히면서 자연스럽게 문제 해결이 가능하도록 하였습니다.

2. 학교 교과 과정을 기준으로 하여 학기 중에 학교 진도에 맞추어 학습이 가능하도록 하였습니다.

구성

서술형 탐구　대표적인 서술형 유형을 선택하여 서술 길라잡이와 함께 제시된 풀이 과정을 통해 문제 해결 방법을 익히도록 구성하였습니다.

서술형 완성하기　서술형 탐구와 유사한 문제를 빈칸을 채우며 풀이 과정을 익히는 학습을 통해 같은 유형의 서술형 문제를 익히도록 구성하였습니다.

서술형 정복하기　서술형 완성하기에서 배운 풀이 전개 방법을 완벽하게 반복 연습하여 서술형 문제에 대한 자신감을 갖도록 구성하였습니다.

실전! 서술형　단원을 마무리 하면서 익힌 내용을 다시 한 번 정리해보고 확인하여 자신의 실력으로 만들 수 있도록 구성하였습니다.

CONTENTS

1 곱셈

서술형 탐구

하루에 인형을 256개씩 만드는 공장이 있습니다. 이 공장에서 5일 동안 인형을 모두 몇 개 만들 수 있는지 풀이 과정을 쓰고 답을 구하시오. (4점)

서술 길라잡이 곱셈식을 이용하여 문제를 해결합니다.

🖉 하루에 256개씩 5일 동안 만들 수 있는 인형의 수를 곱셈식을 세워 나타내면
256×5=1280(개)입니다.
따라서 인형을 모두 1280개 만들 수 있습니다.

답 __1280개__

평가기준	(세 자리 수)×(한 자리 수)의 곱셈식을 바르게 세운 경우	2점	합 4점
	답을 바르게 구한 경우	2점	

서술형 완성하기 서술형 풀이를 완성하고 답을 써 보시오.

1 밤이 한 상자에 378개씩 들어 있습니다. 8상자에 들어 있는 밤은 모두 몇 개인지 풀이 과정을 쓰고 답을 구하시오.

🖉 378개씩 8상자에 들어 있는 밤의 수를 곱셈식을 세워 나타내면

☐×☐=☐(개)입니다. 따라서 밤은 모두 ☐개입니다.

답 _____

2 신영이네 농장에서는 한 바구니에 35개씩 딸기 40바구니를 수확했습니다. 신영이네 농장에서 수확한 딸기는 모두 몇 개인지 풀이 과정을 쓰고 답을 구하시오.

🖉 35개씩 40바구니에 들어 있는 딸기의 수를 곱셈식을 세워 나타내면

☐×☐=☐(개)입니다. 따라서 딸기를 모두 ☐개 수확하였습니다.

답 _____

3 동민이네 학교에는 각 교실마다 28개의 책상이 있습니다. 32개의 교실에 있는 책상은 모두 몇 개인지 풀이 과정을 쓰고 답을 구하시오.

🖉 28개씩 32개의 교실에 있는 책상의 수를 곱셈식을 세워 나타내면

☐×☐=☐(개)입니다. 따라서 책상은 모두 ☐개입니다.

답 _____

1 솔별이네 학교의 전체 학생은 **785**명입니다. 한 사람이 우유를 하루에 한 개씩 마시려면 일주일 동안에는 우유가 몇 개 필요한지 풀이 과정을 쓰고 답을 구하시오. (4점)

답 _____

2 예슬이는 **50**원짜리 동전을 **90**개 모았습니다. 예슬이가 모은 돈은 모두 얼마인지 풀이 과정을 쓰고 답을 구하시오. (4점)

답 _____

3 선물을 한 개 포장하는 데 리본 끈이 **55** cm 필요합니다. 똑같은 선물을 **34**개 포장하려면 리본 끈이 모두 몇 cm 필요한지 풀이 과정을 쓰고 답을 구하시오. (4점)

답 _____

계산이 <u>잘못된</u> 곳을 찾아 이유를 쓰고 바르게 고쳐 보시오. (5점)

$$
\begin{array}{r}
5\,8 \\
\times\ 4\,6 \\
\hline
3\,4\,8 \\
2\,3\,2 \\
\hline
5\,8\,0
\end{array}
$$
➡
$$
\begin{array}{r}
5\,8 \\
\times\ 4\,6 \\
\hline
3\,4\,8 \\
2\,3\,2\,0 \\
\hline
2\,6\,6\,8
\end{array}
$$

서술 길라잡이 곱의 자리를 잘 맞추어 더했는지 살펴봅니다.

✏ 58×4가 실제로 나타내는 값은 58×40=2320이므로 2320을 일의 자리부터 왼쪽으로 자리를 맞추어 써야 합니다.

평가 기준	잘못된 이유를 타당하게 쓴 경우	3점	합 5점
	바르게 고친 경우	2점	

서술형 완성하기   서술형 풀이를 완성하시오.

1 계산에서 <u>잘못된</u> 곳을 찾아 이유를 쓰고 바르게 고쳐 보시오.

$$
\begin{array}{r}
2\,4 \\
\times\ 3\,2 \\
\hline
4\,8 \\
7\,2 \\
\hline
1\,2\,0
\end{array}
$$
➡
$$
\begin{array}{r}
2\,4 \\
\times\ 3\,2 \\
\end{array}
$$

✏ 24×3이 실제로 나타내는 값은 24×☐=☐이므로 720을 ☐의 자리부터 왼쪽으로 자리를 맞추어 써야 합니다.

2 계산에서 <u>잘못된</u> 곳을 찾아 이유를 쓰고 바르게 고쳐 보시오.

$$
\begin{array}{r}
6\,3 \\
\times\ 8\,5 \\
\hline
3\,0\,5 \\
4\,8\,4\,0 \\
\hline
5\,1\,4\,5
\end{array}
$$
➡
$$
\begin{array}{r}
6\,3 \\
\times\ 8\,5 \\
\end{array}
$$

✏ 63×5의 계산에서 3×5=15의 1을 올림하지 않았고,

63×80의 계산에서 ☐×☐=☐의 ☐를 올림하지 않았습니다.

1 계산에서 잘못된 곳을 찾아 이유를 쓰고 바르게 고쳐 보시오. (5점)

$$
\begin{array}{r}
89 \\
\times\ 18 \\
\hline
712 \\
8900 \\
\hline
9612
\end{array}
$$
➡
$$
\begin{array}{r}
89 \\
\times\ 18 \\
\hline
\end{array}
$$

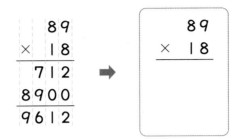

2 계산에서 잘못된 곳을 찾아 이유를 쓰고 바르게 고쳐 보시오. (5점)

$$
\begin{array}{r}
24 \\
\times\ 39 \\
\hline
1836 \\
6120 \\
\hline
7956
\end{array}
$$
➡
$$
\begin{array}{r}
24 \\
\times\ 39 \\
\hline
\end{array}
$$

3 계산에서 잘못된 곳을 찾아 이유를 쓰고 바르게 고쳐 보시오. (5점)

$$
\begin{array}{r}
\overset{4}{4}58 \\
\times\ \ \ 6 \\
\hline
2448
\end{array}
$$
➡
$$
\begin{array}{r}
458 \\
\times\ \ \ 6 \\
\hline
\end{array}
$$

영수는 종이학을 접었습니다. 14일 동안은 하루에 26개씩 접었고, 16일 동안은 하루에 35개씩 접었습니다. 영수가 30일 동안 접은 종이학은 모두 몇 개인지 풀이 과정을 쓰고 답을 구하시오. (5점)

서술 길라잡이 곱셈식을 이용하여 14일 동안 접은 종이학의 수와 16일 동안 접은 종이학의 수를 각각 구하여 더합니다.

✏️ 14일 동안 접은 종이학은 $14 \times 26 = 364$(개)이고, 16일 동안 접은 종이학은

$16 \times 35 = 560$(개)이므로 30일 동안 접은 종이학은 모두 $364 + 560 = 924$(개)입니다.

답　　924개

평가 기준		
14일 동안 접은 종이학의 수를 바르게 구한 경우	2점	합 5점
16일 동안 접은 종이학의 수를 바르게 구한 경우	2점	
30일 동안 접은 종이학의 수를 바르게 구한 경우	1점	

서술형 완성하기　　서술형 풀이를 완성하고 답을 써 보시오.

1 빨간 구슬은 36개씩 42상자에 담겨 있고, 파란 구슬은 27개씩 39상자에 담겨 있습니다. 빨간 구슬과 파란 구슬은 모두 몇 개인지 풀이 과정을 쓰고 답을 구하시오.

✏️ 빨간 구슬은 $36 \times \boxed{} = \boxed{}$ (개) 있고, 파란 구슬은 $\boxed{} \times \boxed{} = \boxed{}$ (개) 있으므

로 빨간 구슬과 파란 구슬은 모두 $\boxed{} + \boxed{} = \boxed{}$ (개) 있습니다.

답　

2 지혜는 수학 문제를 하루에 25문제씩 16일 동안 풀었고, 영수는 하루에 19문제씩 24일 동안 풀었습니다. 누가 수학 문제를 몇 문제 더 많이 풀었는지 풀이 과정을 쓰고 답을 구하시오.

✏️ 지혜는 하루에 25문제씩 16일 동안 수학 문제를 $\boxed{} \times \boxed{} = \boxed{}$ (문제) 풀었고,

영수는 하루에 19문제씩 24일 동안 수학 문제를 $\boxed{} \times \boxed{} = \boxed{}$ (문제) 풀었으므로

$\boxed{}$ 가 $\boxed{} - \boxed{} = \boxed{}$ (문제) 더 많이 풀었습니다.

답

1 지혜네 가족은 어제와 오늘 귤을 땄습니다. 어제는 귤을 54개씩 27상자에 담았고, 오늘은 43개씩 30상자에 담았습니다. 어제와 오늘 중 언제 몇 개 더 많이 땄는지 풀이 과정을 쓰고 답을 구하시오. (5점)

답 _____

2 인형을 만드는 공장에서 6일 동안은 하루에 148개씩 만들었고, 24일 동안은 하루에 87개씩 만들었습니다. 이 공장에서 30일 동안 만든 인형은 모두 몇 개인지 풀이 과정을 쓰고 답을 구하시오. (5점)

답 _____

3 문구점에 색종이는 237장씩 7묶음이 있고, 도화지는 328장씩 4묶음이 있습니다. 색종이와 도화지 중 어느 것이 몇 장 더 많은지 풀이 과정을 쓰고 답을 구하시오. (5점)

답 _____

어떤 수에 **30**을 곱해야 하는데 잘못하여 더했더니 **77**이 되었습니다. 바르게 계산하면 얼마인지 풀이 과정을 쓰고 답을 구하시오. (5점)

서술 길라잡이 덧셈과 뺄셈의 관계를 이용하여 어떤 수를 구한 후 어떤 수와 30의 곱을 구합니다.

✏️ (어떤 수)+30=**77**, (어떤 수)=**77**−**30**=**47**입니다.

따라서 바르게 계산하면 (어떤 수)×30=47×30=1410입니다.

답 ___1410___

평가 기준	잘못 계산한 식을 세운 경우	1점	합 5점
	어떤 수를 구한 경우	2점	
	바른 계산식을 세워 답을 구한 경우	2점	

서술형 완성하기 서술형 풀이를 완성하고 답을 써 보시오.

1 어떤 수에 **58**을 곱해야 하는데 잘못하여 더했더니 **82**가 되었습니다. 바르게 계산하면 얼마인지 풀이 과정을 쓰고 답을 구하시오.

✏️ (어떤 수)+ ☐ = ☐ , (어떤 수)= ☐ − ☐ = ☐ 입니다.

따라서 바르게 계산하면 (어떤 수)× ☐ = ☐ × ☐ = ☐ 입니다.

답 _____

2 어떤 수에 **43**을 곱해야 하는데 잘못하여 **뺐더니** **42**가 되었습니다. 바르게 계산하면 얼마인지 풀이 과정을 쓰고 답을 구하시오.

✏️ (어떤 수)− ☐ = ☐ , (어떤 수)= ☐ + ☐ = ☐ 입니다.

따라서 바르게 계산하면 (어떤 수)× ☐ = ☐ × ☐ = ☐ 입니다.

답 _____

3 **62**에 어떤 수를 곱해야 하는데 잘못하여 **뺐더니** **28**이 되었습니다. 바르게 계산하면 얼마인지 풀이 과정을 쓰고 답을 구하시오.

✏️ ☐ −(어떤 수)= ☐ , (어떤 수)= ☐ − ☐ = ☐ 입니다.

따라서 바르게 계산하면 ☐ ×(어떤 수)= ☐ × ☐ = ☐ 입니다.

답 _____

1 어떤 수에 9를 곱해야 하는데 잘못하여 더했더니 548이 되었습니다. 바르게 계산하면 얼마인지 풀이 과정을 쓰고 답을 구하시오. (5점)

답 _____

2 39에 어떤 수를 곱해야 하는데 잘못하여 더했더니 73이 되었습니다. 바르게 계산하면 얼마인지 풀이 과정을 쓰고 답을 구하시오. (5점)

답 _____

3 81에 어떤 수를 곱해야 하는데 잘못하여 뺐더니 52가 되었습니다. 바르게 계산하면 얼마인지 풀이 과정을 쓰고 답을 구하시오. (5점)

답 _____

서술형 탐구

□ 안에 들어갈 수 있는 자연수 중에서 가장 작은 수는 얼마인지 풀이 과정을 쓰고 답을 구하시오. (6점)

$$45 \times \boxed{}0 > 2400$$

서술 길라잡이 4 × □에서 □ 안의 수를 예상하고 45 × □0 > 2400의 조건에 맞는지 확인해 봅니다.

✎ 4 × □에서 4 × 5 = 20, 4 × 6 = 24이므로 □ 안의 수를 5 또는 6으로 예상하고 확인합니다.
45 × □0에서 □ 안의 수가 5일 경우 45 × 50 = 2250이고, □ 안의 수가 6일 경우
45 × 60 = 2700이므로 45 × □0 > 2400에서 □ 안에 들어갈 수 있는 가장 작은 자연수는
6입니다.

답 ___6___

평가기준	□ 안의 수를 바르게 예상한 경우	2점	합 6점
	□ 안에 예상한 수를 넣어 확인한 경우	2점	
	답을 바르게 구한 경우	2점	

서술형 완성하기
서술형 풀이를 완성하고 답을 써 보시오.

1 □ 안에 들어갈 수 있는 자연수 중에서 가장 작은 수는 얼마인지 풀이 과정을 쓰고 답을 구하시오.

$$65 \times \boxed{}0 > 4300$$

✎ 6 × □에서 6 × 6 = 36, 6 × 7 = 42이므로 □ 안의 수를 6 또는 □로 예상하고 확인합니다.
65 × □0에서 □ 안의 수가 6일 경우 65 × 60 = □이고, □ 안의 수가 □일 경우
65 × □0 = □이므로 65 × □0 > 4300에서 □ 안에 들어갈 수 있는 가장 작은 자연수는 □입니다.

답 _____

2 □ 안에 들어갈 수 있는 자연수 중에서 가장 작은 수는 얼마인지 풀이 과정을 쓰고 답을 구하시오.

$$243 \times \boxed{} > 1700$$

✎ 2 × □에서 2 × 7 = 14, 2 × 8 = 16이므로 □ 안의 수를 7 또는 □로 예상하고 확인합니다.
243 × □에서 □ 안의 수가 7일 경우 243 × 7 = □이고, □ 안의 수가 □일 경우
243 × □ = □이므로 243 × □ > 1700에서 □ 안에 들어갈 수 있는 가장 작은 자연수는 □입니다.

답 _____

서술형 정복하기

1 □ 안에 들어갈 수 있는 자연수 중에서 가장 작은 수는 얼마인지 풀이 과정을 쓰고 답을 구하시오. (6점)

$$73 \times \boxed{}0 > 2900$$

답 _____

2 □ 안에 들어갈 수 있는 자연수 중에서 가장 큰 수는 얼마인지 풀이 과정을 쓰고 답을 구하시오. (6점)

$$38 \times \boxed{}0 < 1600$$

답 _____

3 □ 안에 들어갈 수 있는 자연수 중에서 가장 작은 수는 얼마인지 풀이 과정을 쓰고 답을 구하시오. (6점)

$$475 \times \boxed{} > 2100$$

답 _____

주어진 숫자 카드 4장을 모두 사용하여 (몇십몇)×(몇십몇)의 곱셈식을 만들려고 합니다. 이때 가장 큰 곱은 얼마인지 풀이 과정을 쓰고 답을 구하시오. (6점)

$$4 \quad 5 \quad 6 \quad 8$$

서술 길라잡이 두 수의 십의 자리 숫자가 클수록 곱이 커집니다.

✏️ 두 수의 십의 자리 숫자가 클수록 곱이 커지므로 십의 자리에 6과 8을 놓아 곱셈식을 만들어 봅니다.

$64 \times 85 = 5440$, $65 \times 84 = 5460$이므로 가장 큰 곱은 5460입니다.

답   5460

평가 기준	두 수의 십의 자리에 올 수를 구한 경우	2점	합 6점
	십의 자리에 큰 수를 놓고 곱셈식을 세운 경우	2점	
	가장 큰 곱을 구한 경우	2점	

서술형 완성하기 서술형 풀이를 완성하고 답을 써 보시오.

1 주어진 숫자 카드 4장을 모두 사용하여 (몇십몇)×(몇십몇)의 곱셈식을 만들려고 합니다. 이때 가장 큰 곱은 얼마인지 풀이 과정을 쓰고 답을 구하시오.

$$2 \quad 9 \quad 4 \quad 5$$

✏️ 두 수의 십의 자리 숫자가 (클수록 , 작을수록) 곱이 커지므로 십의 자리에 9와 ☐ 를 놓아 곱셈식을 만들어 봅니다.

$92 \times$ ☐ $=$ ☐ , ☐ $\times$ ☐ $=$ ☐ 이므로 가장 큰 곱은 ☐ 입니다.

답

2 주어진 숫자 카드 4장을 모두 사용하여 (몇십몇)×(몇십몇)의 곱셈식을 만들려고 합니다. 이때 가장 작은 곱은 얼마인지 풀이 과정을 쓰고 답을 구하시오.

$$3 \quad 5 \quad 6 \quad 7$$

✏️ 두 수의 십의 자리 숫자가 (클수록 , 작을수록) 곱이 작아지므로 십의 자리에 ☐ 과 ☐ 를 놓아 곱셈식을 만들어 봅니다.

☐ $\times$ ☐ $=$ ☐ , ☐ $\times$ ☐ $=$ ☐ 이므로 가장 작은 곱은 ☐ 입니다.

답

1 주어진 숫자 카드 4장을 모두 사용하여 (몇십몇)×(몇십몇)의 곱셈식을 만들려고 합니다. 이때 가장 작은 곱은 얼마인지 풀이 과정을 쓰고 답을 구하시오. (6점)

답 _____

2 주어진 숫자 카드 4장을 모두 사용하여 (세 자리 수)×(한 자리 수)의 곱셈식을 만들려고 합니다. 이때 가장 큰 곱은 얼마인지 풀이 과정을 쓰고 답을 구하시오. (6점)

2   3   6   8

답 _____

3 주어진 숫자 카드 4장을 모두 사용하여 (세 자리 수)×(한 자리 수)의 곱셈식을 만들려고 합니다. 이때 가장 작은 곱은 얼마인지 풀이 과정을 쓰고 답을 구하시오. (6점)

2   7   5   8

답 _____

 ① 석기의 심장은 1분에 85번씩 뜁니다. 석기의 심장이 계속 같은 빠르기로 뛴다면 1시간 동안 몇 번이나 뛰는지 풀이 과정을 쓰고 답을 구하시오. (4점)

답 _____

 ② 계산에서 <u>잘못된</u> 곳을 찾아 이유를 쓰고 바르게 고쳐 보시오. (5점)

$$
\begin{array}{r}
4\ 7 \\
\times\ \ 5\ 8 \\
\hline
3\ 2\ 6 \\
2\ 0\ 5\ 0 \\
\hline
2\ 3\ 7\ 6
\end{array}
\qquad\Rightarrow\qquad
\begin{array}{r}
4\ 7 \\
\times\ \ 5\ 8 \\
\hline
\end{array}
$$

 ③ 문구점에 공책은 36권씩 26묶음이 있고, 연습장은 27권씩 30묶음이 있습니다. 문구점에는 공책과 연습장이 모두 몇 권 있는지 풀이 과정을 쓰고 답을 구하시오.

(5점)

답 _____

4 어떤 수에 65를 곱해야 하는데 잘못하여 더했더니 107이 되었습니다. 바르게 계산하면 얼마인지 풀이 과정을 쓰고 답을 구하시오. (5점)

답 _____

5 □ 안에 들어갈 수 있는 자연수 중에서 가장 작은 수는 얼마인지 풀이 과정을 쓰고 답을 구하시오. (6점)

$$58 \times \boxed{}0 > 3200$$

답 _____

6 주어진 숫자 카드 4장을 모두 사용하여 (몇십몇)×(몇십몇)의 곱셈식을 만들려고 합니다. 이때 가장 큰 곱은 얼마인지 풀이 과정을 쓰고 답을 구하시오. (6점)

| 1 | 5 | 6 | 9 |

답 _____

숨은 그림 찾기

신나는 여름

⭐ 숨은 그림 : 숫자 '6', 야구방망이, 삽, 삼각자, 부메랑, 버섯

② 나눗셈

몫이 가장 큰 것을 찾아 기호를 쓰려고 합니다. 풀이 과정을 쓰고 답을 구하시오. (4점)

> ⊙ 88÷4   ⓒ 60÷3   ⓒ 126÷6

서술 길라잡이 나눗셈의 몫을 구한 후 크기를 비교해 봅니다.

✏ ⊙ 88÷4=22 ⓒ 60÷3=20 ⓒ 126÷6=21
따라서 몫이 가장 큰 것은 ⊙입니다.

답 _____⊙_____

평가기준	몫을 바르게 구한 경우	2점	합 4점
	몫이 가장 큰 것을 바르게 찾은 경우	2점	

서술형 완성하기

서술형 풀이를 완성하고 답을 써 보시오.

1 몫이 가장 큰 것을 찾아 기호를 쓰려고 합니다. 풀이 과정을 쓰고 답을 구하시오.

> ⊙ 75÷5   ⓒ 72÷4   ⓒ 128÷8   ⓔ 180÷9

✏ ⊙ 75÷5=☐ ⓒ 72÷4=☐ ⓒ 128÷8=☐ ⓔ 180÷9=☐
따라서 몫이 가장 큰 것은 ☐입니다.

답 _____

2 몫이 가장 작은 것을 찾아 기호를 쓰려고 합니다. 풀이 과정을 쓰고 답을 구하시오.

> ⊙ 80÷5   ⓒ 36÷3   ⓒ 105÷7   ⓔ 117÷9

✏ ⊙ 80÷5=☐ ⓒ 36÷3=☐ ⓒ 105÷7=☐ ⓔ 117÷9=☐
따라서 몫이 가장 작은 것은 ☐입니다.

답 _____

1 몫이 가장 큰 것을 찾아 기호를 쓰려고 합니다. 풀이 과정을 쓰고 답을 구하시오.

(4점)

$\bigcirc$ $50 \div 2$ $\bigcirc$ $96 \div 3$ $\bigcirc$ $150 \div 5$ $\bigcirc$ $200 \div 8$

답 _____

2 몫이 가장 작은 것을 찾아 기호를 쓰려고 합니다. 풀이 과정을 쓰고 답을 구하시오. (4점)

$\bigcirc$ $72 \div 3$ $\bigcirc$ $92 \div 4$ $\bigcirc$ $153 \div 9$ $\bigcirc$ $144 \div 8$

답 _____

3 몫이 가장 큰 것부터 차례로 기호를 쓰려고 합니다. 풀이 과정을 쓰고 답을 구하시오. (5점)

$\bigcirc$ $98 \div 7$ $\bigcirc$ $85 \div 5$ $\bigcirc$ $132 \div 6$ $\bigcirc$ $120 \div 8$

답 _____

서술형 탐구

나머지가 가장 큰 것을 찾아 기호를 쓰려고 합니다. 풀이 과정을 쓰고 답을 구하시오. (4점)

$$\textcircled{\scriptsize 가} \ 54 \div 5 \qquad \textcircled{\scriptsize 나} \ 67 \div 4 \qquad \textcircled{\scriptsize 다} \ 150 \div 8$$

서술 길라잡이 나눗셈의 나머지를 구한 후 크기를 비교해 봅니다.

✎ ㉠ $54 \div 5 = 10 \cdots 4$ ㉡ $67 \div 4 = 16 \cdots 3$ ㉢ $150 \div 8 = 18 \cdots 6$
따라서 나머지가 가장 큰 것은 ㉢입니다.

답 _____ ㉢ _____

평가 기준	나머지를 바르게 구한 경우	2점	합 4점
	나머지가 가장 큰 것을 바르게 찾은 경우	2점	

서술형 완성하기
서술형 풀이를 완성하고 답을 써 보시오.

1 나머지가 가장 큰 것을 찾아 기호를 쓰려고 합니다. 풀이 과정을 쓰고 답을 구하시오.

$$\textcircled{\scriptsize 가} \ 64 \div 5 \qquad \textcircled{\scriptsize 나} \ 96 \div 7 \qquad \textcircled{\scriptsize 다} \ 115 \div 8 \qquad \textcircled{\scriptsize 라} \ 218 \div 9$$

✎ ㉠ $64 \div 5 = \boxed{} \cdots \boxed{}$ ㉡ $96 \div 7 = \boxed{} \cdots \boxed{}$

㉢ $115 \div 8 = \boxed{} \cdots \boxed{}$ ㉣ $218 \div 9 = \boxed{} \cdots \boxed{}$

따라서 나머지가 가장 큰 것은 $\boxed{}$ 입니다.

답 _____

2 나머지가 가장 작은 것을 찾아 기호를 쓰려고 합니다. 풀이 과정을 쓰고 답을 구하시오.

$$\textcircled{\scriptsize 가} \ 47 \div 3 \qquad \textcircled{\scriptsize 나} \ 58 \div 4 \qquad \textcircled{\scriptsize 다} \ 120 \div 7 \qquad \textcircled{\scriptsize 라} \ 138 \div 9$$

✎ ㉠ $47 \div 3 = \boxed{} \cdots \boxed{}$ ㉡ $58 \div 4 = \boxed{} \cdots \boxed{}$

㉢ $120 \div 7 = \boxed{} \cdots \boxed{}$ ㉣ $138 \div 9 = \boxed{} \cdots \boxed{}$

따라서 나머지가 가장 작은 것은 $\boxed{}$ 입니다.

답 _____

1 나머지가 가장 큰 것을 찾아 기호를 쓰려고 합니다. 풀이 과정을 쓰고 답을 구하시오. (4점)

> ㉠ $76 \div 6$ ㉡ $97 \div 5$ ㉢ $213 \div 4$ ㉣ $475 \div 8$

답 _____

2 나머지가 가장 작은 것을 찾아 기호를 쓰려고 합니다. 풀이 과정을 쓰고 답을 구하시오. (4점)

> ㉠ $69 \div 7$ ㉡ $87 \div 6$ ㉢ $496 \div 5$ ㉣ $498 \div 4$

답 _____

3 나머지가 가장 큰 것부터 차례로 기호를 쓰려고 합니다. 풀이 과정을 쓰고 답을 구하시오. (5점)

> ㉠ $74 \div 7$ ㉡ $98 \div 8$ ㉢ $738 \div 3$ ㉣ $350 \div 9$

답 _____

서술형 탐구

공책 48권을 4명에게 똑같이 나누어 준다면 한 명에게 몇 권씩 나누어 줄 수 있는지 풀이 과정을 쓰고 답을 구하시오. (4점)

서술 길라잡이 나눗셈식을 이용하여 문제를 해결합니다.

✎ 공책 48권을 4명에게 똑같이 나누어 주면 48÷4＝12(권)씩이므로 한 명에게 12권씩 나누어 줄 수 있습니다.

답 ___12권___

평가기준	나눗셈식을 바르게 세운 경우	2점	합 4점
	답을 바르게 구한 경우	2점	

서술형 완성하기
서술형 풀이를 완성하고 답을 써 보시오.

1 책 90권을 책꽂이 3칸에 똑같이 나누어 꽂으려면 한 칸에 몇 권씩 꽂아야 하는지 풀이 과정을 쓰고 답을 구하시오.

✎ 책 90권을 책꽂이 3칸에 똑같이 나누어 꽂으면 ☐ ÷ ☐ ＝ ☐ (권)씩이므로

한 칸에 ☐ 권씩 꽂아야 합니다.

답 _____

2 사과 120개를 한 봉지에 6개씩 나누어 담는다면 몇 봉지에 나누어 담을 수 있는지 풀이 과정을 쓰고 답을 구하시오.

✎ 사과 120개를 한 봉지에 6개씩 나누어 담으면 ☐ ÷ ☐ ＝ ☐ (봉지)가 되므로

☐ 봉지에 나누어 담을 수 있습니다.

답 _____

1 학생이 72명 있습니다. 음악 시간에 세 모둠으로 똑같이 나누어 합창 연습을 하려고 합니다. 한 모둠에 몇 명씩 되는지 풀이 과정을 쓰고 답을 구하시오. (4점)

✏

답

2 정사각형의 네 변의 길이의 합은 100 cm입니다. 정사각형의 한 변의 길이는 몇 cm인지 풀이 과정을 쓰고 답을 구하시오. (4점)

✏

답

3 연필 8타를 학생 한 명에게 6자루씩 나누어 준다면 몇 명에게 나누어 줄 수 있는지 풀이 과정을 쓰고 답을 구하시오. (5점)

✏

답

서술형 탐구

2. 나눗셈 (4)

초콜릿 76개를 한 명에게 6개씩 똑같이 나누어 주려고 합니다. 초콜릿을 몇 명에게 나누어 줄 수 있고 남는 초콜릿은 몇 개인지 풀이 과정을 쓰고 답을 구하시오.

(4점)

> **서술 길라잡이** 나눗셈의 몫과 나머지를 구하여 문제를 해결합니다.

✎ 초콜릿 76개를 한 명에게 6개씩 똑같이 나누어 주면 $76 \div 6 = 12 \cdots 4$이므로 12명에게 나누어 줄 수 있고 남는 초콜릿은 4개입니다.

답 _____12명, 4개_____

평가기준	나눗셈식을 바르게 세운 경우	2점	합 4점
	몫과 나머지를 바르게 구하여 답을 쓴 경우	2점	

서술형 완성하기

서술형 풀이를 완성하고 답을 써 보시오.

1 구슬 45개를 한 모둠에 7개씩 똑같이 나누어 주려고 합니다. 구슬을 몇 모둠까지 나누어 줄 수 있고 나머지는 몇 개인지 풀이 과정을 쓰고 답을 구하시오.

✎ 구슬 45개를 한 모둠에 7개씩 똑같이 나누어 주면 $45 \div \boxed{} = \boxed{} \cdots \boxed{}$이므로 $\boxed{}$모둠까지 나누어 줄 수 있고 남는 구슬은 $\boxed{}$개입니다.

답 _____

2 색 테이프 8 cm로 선물에 장식할 리본을 한 개 만들 수 있습니다. 색 테이프 125 cm로 리본을 몇 개까지 만들 수 있고 남는 색 테이프는 몇 cm인지 풀이 과정을 쓰고 답을 구하시오.

✎ 색 테이프 125 cm를 8 cm씩 나누면 $\boxed{} \div \boxed{} = \boxed{} \cdots \boxed{}$ 이므로 리본을 $\boxed{}$개까지 만들 수 있고 남는 색 테이프는 $\boxed{}$cm입니다.

답 _____

1 공 58개를 한 상자에 4개씩 똑같이 나누어 담으려고 합니다. 몇 상자까지 담을 수 있고 남는 공은 몇 개인지 풀이 과정을 쓰고 답을 구하시오. (4점)

답 _____

2 100일은 몇 주이며 나머지는 며칠인지 풀이 과정을 쓰고 답을 구하시오. (4점)

답 _____

3 색종이 62장을 한 묶음에 5장씩 묶고 남은 것은 솔별이가 가졌습니다. 솔별이가 가진 색종이는 몇 장인지 풀이 과정을 쓰고 답을 구하시오. (4점)

답 _____

□ 안에 알맞은 수는 얼마인지 풀이 과정을 쓰고 답을 구하시오. (5점)

$$
\begin{array}{r}
\boxed{㉠} \\
\boxed{㉡} \overline{)4\ 8} \\
\boxed{㉢}\ \boxed{㉣} \\
\hline
6
\end{array}
$$

서술 길라잡이 나누는 수는 나머지보다 크다는 것을 알고 문제를 해결합니다.

나머지가 6이므로 ㉢㉣=48−6=42에서 ㉢=4, ㉣=2입니다.
㉡×㉠=42이므로 6×7=42에서 ㉡은 6 또는 7이 될 수 있으나 나누는 수는 나머지보다
커야 하므로 ㉡=7, ㉠=6입니다.

답   ㉠=6, ㉡=7, ㉢=4, ㉣=2

평가 기준	나누어지는 수와 나머지를 이용하여 ㉢과 ㉣을 구한 경우	2점	합 5점
	㉡이 나머지보다 커야 함을 알고 ㉠과 ㉡을 구한 경우	3점	

서술형 완성하기   서술형 풀이를 완성하고 답을 써 보시오.

1 □ 안에 알맞은 수는 얼마인지 풀이 과정을 쓰고 답을 구하시오.

$$
\begin{array}{r}
\boxed{㉠} \\
\boxed{㉡} \overline{)3\ 6} \\
\boxed{㉢}\ \boxed{㉣} \\
\hline
4
\end{array}
$$

나머지가 □이므로 ㉢㉣=36−□=□에서

㉢=□, ㉣=□입니다.

㉡×㉠=□이므로 4×□=□에서 ㉡은 4 또는 □이 될 수

있으나 나누는 수는 나머지보다 커야 하므로 ㉡=□, ㉠=□입니다.

답 _____

2 □ 안에 알맞은 수는 얼마인지 풀이 과정을 쓰고 답을 구하시오.

$$
\begin{array}{r}
\boxed{㉠} \\
\boxed{㉡} \overline{)5\ 2} \\
\boxed{㉢}\ \boxed{㉣} \\
\hline
7
\end{array}
$$

나머지가 □이므로 ㉢㉣=□−□=□에서

㉢=□, ㉣=□입니다.

㉡×㉠=□이므로 5×□=□에서 ㉡은 5 또는 □가 될 수

있으나 나누는 수는 나머지보다 커야 하므로 ㉡=□, ㉠=□입니다.

답 _____

서술형 정복하기

1 □ 안에 알맞은 수는 얼마인지 풀이 과정을 쓰고 답을 구하시오.

(5점)

답 _____

2 □ 안에 알맞은 수는 얼마인지 풀이 과정을 쓰고 답을 구하시오.

(5점)

답 _____

3 □ 안에 알맞은 수는 얼마인지 풀이 과정을 쓰고 답을 구하시오. (6점)

답 _____

서술형 탐구

어떤 수를 3으로 나누어야 할 것을 잘못하여 곱했더니 **78**이 되었습니다. 바르게 계산하면 몫과 나머지는 얼마가 되는지 풀이 과정을 쓰고 답을 구하시오. (5점)

서술 길라잡이 잘못 계산한 식을 세워 어떤 수를 먼저 구합니다.

✎ (어떤 수)×3＝78, (어떤 수)＝78÷3＝26입니다.

따라서 바르게 계산하면 (어떤 수)÷3＝26÷3＝8…2이므로 몫은 8이고, 나머지는 2입니다.

답 몫 : 8, 나머지 : 2

평가 기준	잘못 계산한 식을 세운 경우	1점	합 5점
	어떤 수를 구한 경우	2점	
	바른 계산식을 세워 몫과 나머지를 구한 경우	2점	

서술형 완성하기

서술형 풀이를 완성하고 답을 써 보시오.

1 어떤 수를 4로 나누어야 할 것을 잘못하여 곱했더니 **72**가 되었습니다. 바르게 계산하면 몫과 나머지는 얼마가 되는지 풀이 과정을 쓰고 답을 구하시오.

✎ (어떤 수)× ☐ ＝ ☐ , (어떤 수)＝ ☐ ÷ ☐ ＝ ☐ 입니다.

따라서 바르게 계산하면 (어떤 수)÷ ☐ ＝ ☐ ÷ ☐ ＝ ☐ … ☐ 이므로

몫은 ☐ 이고, 나머지는 ☐ 입니다.

답 _____

2 어떤 수를 5로 나누어야 할 것을 잘못하여 더했더니 **117**이 되었습니다. 바르게 계산하면 몫과 나머지는 얼마인지 풀이 과정을 쓰고 답을 구하시오.

✎ (어떤 수)＋ ☐ ＝ ☐ , (어떤 수)＝ ☐ － ☐ ＝ ☐ 입니다.

따라서 바르게 계산하면 (어떤 수)÷ ☐ ＝ ☐ ÷ ☐ ＝ ☐ … ☐ 이므로

몫은 ☐ 이고, 나머지는 ☐ 입니다.

답 _____

1 어떤 수를 6으로 나누어야 할 것을 잘못하여 곱했더니 90이 되었습니다. 바르게 계산하면 몫과 나머지는 얼마가 되는지 풀이 과정을 쓰고 답을 구하시오. (5점)

답 _____

2 어떤 수를 8로 나누어야 할 것을 잘못하여 빼었더니 84가 되었습니다. 바르게 계산하면 몫과 나머지는 얼마가 되는지 풀이 과정을 쓰고 답을 구하시오. (5점)

답 _____

3 어떤 수를 3으로 나누어야 할 것을 잘못하여 8로 나누었더니 몫이 14가 되었습니다. 바르게 계산하면 몫과 나머지는 얼마가 되는지 풀이 과정을 쓰고 답을 구하시오. (5점)

답 _____

1 몫이 가장 큰 것을 찾아 기호를 쓰려고 합니다. 풀이 과정을 쓰고 답을 구하시오. (4점)

> ㉠ 88÷2   ㉡ 96÷8   ㉢ 288÷8   ㉣ 196÷7

답 _____

2 나머지 가장 작은 것을 찾아 기호를 쓰려고 합니다. 풀이 과정을 쓰고 답을 구하시오. (4점)

> ㉠ 54÷7   ㉡ 75÷4   ㉢ 187÷9   ㉣ 214÷8

답 _____

3 학생 56명이 모둠을 만들려고 합니다. 한 모둠이 4명씩 되도록 만든다면 모두 몇 모둠이 되는지 풀이 과정을 쓰고 답을 구하시오. (4점)

답 _____

4 석기네 가족은 과수원에서 배를 100개 땄습니다. 바구니에 8개씩 똑같이 나누어 담고 남은 것은 이웃집에 주었습니다. 이웃집에 준 배는 몇 개인지 풀이 과정을 쓰고 답을 구하시오. (4점)

답 _____

5 □ 안에 알맞은 수는 얼마인지 풀이 과정을 쓰고 답을 구하시오. (6점)

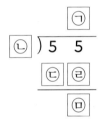

확인 ⓒ×㉠+7=55

답 _____

6 어떤 수를 5로 나누어야 할 것을 잘못하여 곱했더니 125가 되었습니다. 바르게 계산하면 몫은 얼마가 되는지 풀이 과정을 쓰고 답을 구하시오. (5점)

답 _____

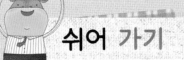

숨은 그림 찾기

모기는 괴로워

⭐ 숨은 그림 : 골프채, 쥐, 은행잎, 파리채, 숫자 '5', 신발

 원

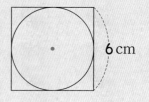

오른쪽 그림과 같이 한 변의 길이가 6 cm인 정사각형 안에 가장 큰 원을 그리면 원의 반지름은 몇 cm가 되는지 풀이 과정을 쓰고 답을 구하시오. (4점)

서술 길라잡이 정사각형의 한 변의 길이를 이용하여 원의 지름을 알아보고, 원의 반지름과 지름의 관계를 이용하여 원의 반지름을 구합니다.

✏️ 원의 지름은 정사각형의 한 변의 길이와 같습니다. 원의 지름이 6 cm이므로
(원의 반지름)=(원의 지름)÷2=6÷2=3(cm)입니다.

답 ___3 cm___

평가기준	원의 지름이 정사각형의 한 변의 길이와 같음을 아는 경우	2점	합
	원의 반지름과 지름의 관계를 이용하여 반지름을 구한 경우	2점	4점

서술형 완성하기 서술형 풀이를 완성하고 답을 써 보시오.

1 오른쪽 그림에서 선분 ㄱㅇ의 길이는 몇 cm인지 풀이 과정을 쓰고 답을 구하시오.

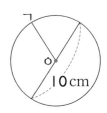

✏️ 선분 ㄱㅇ의 길이는 원의 반지름입니다. 원의 지름이 ☐ cm이므로

(선분 ㄱㅇ의 길이)=(원의 반지름)=(원의 지름)÷☐=☐÷☐=☐(cm)입니다.

답 _____

2 오른쪽 그림에서 삼각형은 세 변의 길이가 모두 같습니다. 원의 지름은 몇 cm인지 풀이 과정을 쓰고 답을 구하시오.

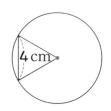

✏️ 원의 반지름은 삼각형의 한 변의 길이와 같습니다. 원의 반지름이 ☐ cm이므로

(원의 지름)=(원의 반지름)×☐=☐×☐=☐(cm)입니다.

답 _____

1 오른쪽 그림에서 작은 원의 지름은 몇 cm인지 풀이 과정을 쓰고 답을 구하시오. (4점)

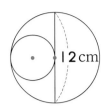

2 오른쪽 그림에서 두 원의 크기가 같을 때, 선분 ㄱㄴ의 길이는 몇 cm인지 풀이 과정을 쓰고 답을 구하시오. (4점)

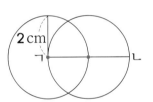

답 _____

3 오른쪽 그림에서 선분 ㄱㄷ의 길이는 몇 cm인지 풀이 과정을 쓰고 답을 구하시오. (6점)

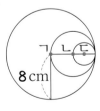

답 _____

 서술형 탐구

3. 원 (2)

오른쪽 그림과 같은 모양을 그리려면 컴퍼스의 침을 꽂아야 할 곳은 몇 군데인지 풀이 과정을 쓰고 답을 구하시오. (4점)

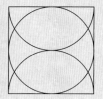

서술 길라잡이 원을 몇 개 그려야 하는지 알아보고, 원의 중심을 찾아 표시해 봅니다.

✎ 모양을 그리려면 원을 3개 그려야 하므로 원의 중심은 모두 3개입니다.
따라서 컴퍼스의 침을 꽂아야 할 곳은 3군데입니다.

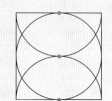

답 ___3군데___

평가기준	원을 몇 개 그려야 하는지 아는 경우	2점	합 4점
	답을 구한 경우	2점	

서술형 완성하기 서술형 풀이를 완성하고 답을 써 보시오.

1 오른쪽 그림과 같은 모양을 그리려면 컴퍼스의 침을 꽂아야 할 곳은 몇 군데인지 풀이 과정을 쓰고 답을 구하시오.

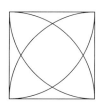

✎ 모양을 그리려면 원을 ☐ 개 그려야 하므로 원의 중심은 모두 ☐ 개입니다.

따라서 컴퍼스의 침을 꽂아야 할 곳은 ☐ 군데입니다.

답 _____

2 오른쪽 그림과 같은 모양을 그리려면 컴퍼스의 침을 꽂아야 할 곳은 몇 군데인지 풀이 과정을 쓰고 답을 구하시오.

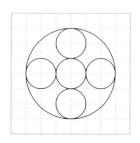

✎ 모양을 그리려면 원을 ☐ 개 그려야 합니다. 이때, 중심이 같은 원이 가장 큰 원과 작은 원

으로 ☐ 개 있으므로 원의 중심은 모두 ☐ 개입니다.

따라서 컴퍼스의 침을 꽂아야 할 곳은 ☐ 군데입니다.

답 _____

1 오른쪽 그림과 같은 모양을 그리려면 컴퍼스의 침을 꽂아야 할 곳은 몇 군데인지 풀이 과정을 쓰고 답을 구하시오. (4점)

답 _____

2 오른쪽 그림과 같은 모양을 그리려면 컴퍼스의 침을 꽂아야 할 곳은 몇 군데인지 풀이 과정을 쓰고 답을 구하시오. (4점)

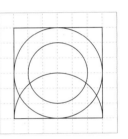

답 _____

3 오른쪽 그림과 같은 모양을 그리려면 컴퍼스의 침을 꽂아야 할 곳은 몇 군데인지 풀이 과정을 쓰고 답을 구하시오. (4점)

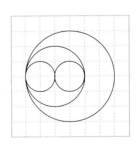

답 _____

오른쪽 그림은 크기가 같은 원 2개를 이어 붙여서 그린 것입니다. 선분 ㄱㄴ의 길이는 몇 cm인지 풀이 과정을 쓰고 답을 구하시오. (4점)

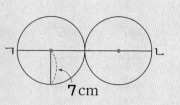

서술 길라잡이 선분 ㄱㄴ의 길이가 원의 반지름의 몇 배인지 알아봅니다.

✎ 선분 ㄱㄴ의 길이는 원의 반지름의 4배입니다. 원의 반지름이 7 cm이므로 선분 ㄱㄴ의 길이이 $7 \times 4 = 28$(cm)입니다.

답 ___28 cm___

평가 기준	선분 ㄱㄴ의 길이가 원의 반지름의 4배임을 아는 경우	2점	합 4점
	선분 ㄱㄴ의 길이를 구한 경우	2점	

서술형 완성하기 서술형 풀이를 완성하고 답을 써 보시오.

1 크기가 같은 원 6개를 서로 원의 중심이 지나도록 그린 것입니다. 선분 ㄱㄴ의 길이는 몇 cm인지 풀이 과정을 쓰고 답을 구하시오.

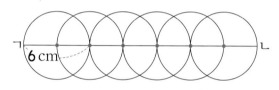

✎ 선분 ㄱㄴ의 길이는 원의 반지름의 ☐ 배입니다. 원의 지름이 6 cm이므로 원의 반지름은

$6 \div$ ☐ $=$ ☐ (cm)이고, 선분 ㄱㄴ의 길이는 ☐ $\times$ ☐ $=$ ☐ (cm)입니다.

답 _____

2 오른쪽 그림은 정사각형 안에 크기가 같은 원 4개를 이어 붙여서 그린 것입니다. 정사각형의 네 변의 길이의 합은 몇 cm인지 풀이 과정을 쓰고 답을 구하시오.

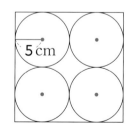

✎ 정사각형의 한 변의 길이는 원의 반지름의 ☐ 배입니다. 원의 반지름이 ☐ cm이므로 정

사각형의 한 변의 길이는 ☐ $\times$ ☐ $=$ ☐ (cm)이고, 성사각형의 네 변의 길이의 합은

☐ $\times 4 =$ ☐ (cm)입니다. 답 _____

1 크기가 같은 원 **4**개를 이어 붙여서 그린 것입니다. 선분 ㄱㄴ의 길이는 몇 cm인지 풀이 과정을 쓰고 답을 구하시오. (4점)

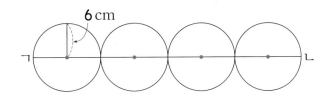

답 _____

2 원 **5**개는 크기가 모두 같고 점 ㄴ, ㄷ, ㄹ, ㅁ, ㅂ은 원의 중심입니다. 선분 ㄱㅅ의 길이는 몇 cm인지 풀이 과정을 쓰고 답을 구하시오. (4점)

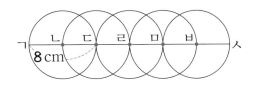

답 _____

3 직사각형 안에 크기가 같은 원 **2**개를 이어 붙여서 그린 것입니다. 직사각형의 네 변의 길이의 합은 몇 cm인지 풀이 과정을 쓰고 답을 구하시오. (6점)

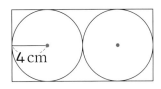

답 _____

서술형 탐구

오른쪽 그림에서 큰 원의 지름은 36 cm입니다. 작은 원의 반지름은 몇 cm인지 풀이 과정을 쓰고 답을 구하시오. (4점)

서술 길라잡이 큰 원의 지름이 작은 원의 반지름의 몇 배인지를 이용하여 작은 원의 반지름을 구합니다.

🖉 큰 원의 지름은 작은 원의 반지름의 4배이므로
(작은 원의 반지름)＝(큰 원의 지름)÷4＝36÷4＝9(cm)입니다.

답 _____9 cm_____

평가기준	큰 원의 지름이 작은 원의 반지름의 4배임을 아는 경우	2점	합 4점
	작은 원의 반지름을 구한 경우	2점	

서술형 완성하기 서술형 풀이를 완성하고 답을 써 보시오.

1 오른쪽 그림에서 큰 원의 지름은 24 cm입니다. 작은 원의 반지름은 몇 cm인지 풀이 과정을 쓰고 답을 구하시오. (단, 작은 원의 크기는 모두 같습니다.)

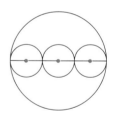

🖉 큰 원의 지름은 작은 원의 반지름의 ☐배이므로

(작은 원의 반지름)＝(큰 원의 지름)÷☐＝24÷☐＝☐(cm)입니다.

답 _____

2 오른쪽 그림과 같이 크기가 같은 원 3개의 중심을 이어 세 변의 길이가 같은 삼각형을 만들었습니다. 삼각형의 세 변의 길이의 합이 30 cm일 때 원의 반지름은 몇 cm인지 풀이 과정을 쓰고 답을 구하시오.

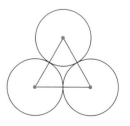

🖉 삼각형의 세 변의 길이의 합은 원의 반지름의 ☐배이므로

(원의 반지름)＝(삼각형의 세 변의 길이의 합)÷☐＝☐÷☐＝☐(cm)입니다.

답 _____

1 오른쪽 그림에서 큰 원의 지름은 **32** cm입니다. 작은 원의 반지름은 몇 cm인지 풀이 과정을 쓰고 답을 구하시오. (단, 작은 원의 크기는 모두 같습니다.) (4점)

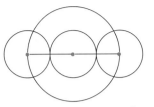

답 _____

2 오른쪽 그림과 같이 크기가 같은 원 **4**개의 중심을 이어 정사각형을 만들었습니다. 정사각형의 네 변의 길이의 합이 **32** cm일 때, 원의 반지름은 몇 cm인지 풀이 과정을 쓰고 답을 구하시오.

(5점)

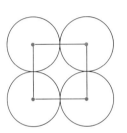

답 _____

3 그림과 같이 직사각형 안에 크기가 같은 원 **3**개를 이어 붙여서 그렸습니다. 직사각형의 네 변의 길이의 합이 **40** cm일 때, 원의 지름은 몇 cm인지 풀이 과정을 쓰고 답을 구하시오. (6점)

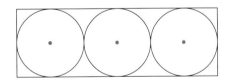

답 _____

1 오른쪽 그림에서 큰 원의 반지름은 몇 cm인지 풀이 과정을 쓰고 답을 구하시오. (4점)

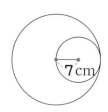

답

2 오른쪽 그림과 같은 모양을 그리려면 컴퍼스의 침을 꽂아야 할 곳은 몇 군데인지 풀이 과정을 쓰고 답을 구하시오. (4점)

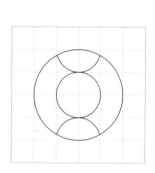

답

3 원 4개는 크기가 모두 같고 점 ㄴ, 점 ㄷ, 점 ㄹ, 점 ㅁ은 원의 중심입니다. 선분 ㄱㅂ의 길이는 몇 cm인지 풀이 과정을 쓰고 답을 구하시오. (4점)

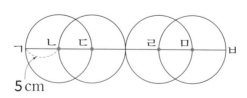

답

4 크기가 같은 원 위에 직사각형을 그렸습니다. 직사각형 ㄱㄴㄷㄹ의 네 변의 길이의 합은 몇 cm인지 풀이 과정을 쓰고 답을 구하시오. (6점)

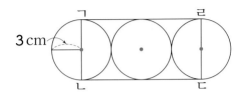

3 cm

답 _____

5 오른쪽 그림과 같이 크기가 같은 두 원의 중심과 두 원이 만나는 두 점을 이어 사각형을 만들었습니다. 사각형의 네 변의 길이의 합이 36 cm일 때, 원의 반지름은 몇 cm인지 풀이 과정을 쓰고 답을 구하시오. (5점)

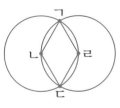

답 _____

6 오른쪽 그림은 정사각형 안에 크기가 같은 원 4개를 이어 붙여서 그린 것입니다. 정사각형의 네 변의 길이의 합이 24 cm일 때, 원의 지름은 몇 cm인지 풀이 과정을 쓰고 답을 구하시오.

(5점)

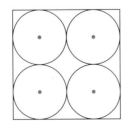

답 _____

숨은 그림 찾기

즐거운 저녁 식사

⭐ 숨은 그림 : 숫자 '8', 탁구채, 요리사 모자, 조각 피자, 도끼, 하트 모양

4 분수

예슬이는 사탕 **7**개 중에서 **2**개를 먹었습니다. 남은 사탕은 전체의 몇 분의 몇인지 분수로 나타내는 풀이 과정을 쓰고 답을 구하시오. (4점)

서술 길라잡이 남은 사탕 수를 먼저 구합니다.

✏️ (남은 사탕 수)=(전체 사탕 수)−(먹은 사탕 수)=**7**−**2**=**5**(개)

따라서 남은 사탕은 전체의 $\frac{5}{7}$입니다.

답 $\frac{5}{7}$

평가기준	남은 사탕 수를 구한 경우	2점	합 4점
	남은 사탕 수를 분수로 나타낸 경우	2점	

서술형 완성하기   서술형 풀이를 완성하고 답을 써 보시오.

1 배 한 개를 똑같이 **6**조각으로 나누어 예슬이와 언니가 각각 **2**조각씩 먹었습니다. 예슬이와 언니가 먹은 배는 전체의 몇 분의 몇인지 분수로 나타내는 풀이 과정을 쓰고 답을 구하시오

✏️ (예슬이와 언니가 먹은 조각 수)=☐+☐=☐(조각)

전체 조각 수는 **6**조각이므로 예슬이와 언니가 먹은 배는 전체의 $\frac{☐}{☐}$입니다.

답 _____

2 동민이는 도화지를 똑같이 나누어 색칠한 부분을 사용했습니다. 동민이가 사용하고 남은 부분을 한별이가 모두 사용했다면 한별이가 사용한 도화지는 전체의 몇 분의 몇인지 풀이 과정을 쓰고 답을 구하시오.

✏️ 동민이가 사용하고 남은 부분은 도화지를 똑같이 **9**로 나눈 것 중의 ☐−☐=☐입니다.

따라서 한별이가 사용한 도화지는 전체의 $\frac{☐}{☐}$입니다.

답 _____

1 효근이는 사과 한 개를 똑같이 **7**조각으로 나누어 그중에서 **3**조각을 먹었습니다. 남은 사과 조각은 전체의 몇 분의 몇인지 분수로 나타내는 풀이 과정을 쓰고 답을 구하시오. (4점)

답 _____

2 오른쪽 그림은 영수가 빵에 바른 여러 가지 크림을 나타낸 것입니다. 바닐라 크림을 바른 부분은 전체의 몇 분의 몇인지 풀이 과정을 쓰고 답을 구하시오. (4점)

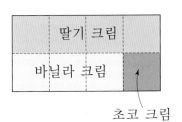

답 _____

3 지혜네 반과 웅이네 반은 오른쪽 그림과 같이 똑같은 크기의 땅을 다른 방법으로 나누어 꽃을 심었습니다. 두 반이 꽃을 심은 땅의 크기는 같습니까, 다릅니까? 그 이유를 설명하시오. (4점)

지혜네 반

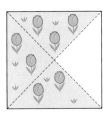
웅이네 반

답 _____

서술형 탐구

웅이는 구슬을 40개 가지고 있습니다. 그중에서 $\frac{2}{5}$를 동생에게 주었다면 남은 구슬은 몇 개인지 풀이 과정을 쓰고 답을 구하시오. (4점)

서술 길라잡이 구슬 40개를 똑같이 5묶음으로 나누어 봅니다.

✏️ 구슬 40개를 똑같이 5묶음으로 나누면 한 묶음은 8개이므로

40개의 $\frac{1}{5}$은 8개이고, 2묶음은 $8 \times 2 = 16$(개)이므로 40개의 $\frac{2}{5}$는 16개입니다.

따라서 동생에게 16개를 주고 남은 구슬은 $40 - 16 = 24$(개)입니다.

답 _____24개_____

평가기준	동생에게 준 구슬의 수를 구한 경우	2점	합 4점
	남은 구슬이 몇 개인지 구한 경우	2점	

서술형 완성하기

서술형 풀이를 완성하고 답을 써 보시오.

1 한초는 동화책을 36권 가지고 있고, 지혜는 한초가 가지고 있는 동화책의 $\frac{5}{6}$보다 2권 더 많이 가지고 있습니다. 지혜가 가지고 있는 동화책은 몇 권인지 풀이 과정을 쓰고 답을 구하시오.

✏️ 동화책 36권을 똑같이 6묶음으로 나누면 한 묶음은 ☐권이므로 36권의 $\frac{1}{6}$은 ☐권이고

5묶음은 ☐ × ☐ = ☐(권)이므로 36권의 $\frac{5}{6}$는 ☐권입니다.

따라서 지혜가 가지고 있는 동화책은 ☐ + ☐ = ☐(권)입니다.

답 _____

2 귤이 42개 있습니다. 형은 전체의 $\frac{1}{7}$을 먹었고, 동생은 전체의 $\frac{2}{6}$를 먹었습니다. 누가 귤을 몇 개 더 많이 먹었는지 풀이 과정을 쓰고 답을 구하시오.

✏️ 형이 먹은 귤의 수는 42개를 똑같이 7묶음으로 나눈 것 중의 한 묶음이므로 ☐개이고

동생이 먹은 귤의 수는 42개를 똑같이 6묶음으로 나눈 것 중의 2묶음이므로

☐ × ☐ = ☐(개)입니다.

따라서 동생이 귤을 ☐ − ☐ = ☐(개) 더 많이 먹었습니다. 답 _____

1 오른쪽 그림과 같은 직사각형에서 세로의 길이는 가로의 길이의 $\frac{4}{5}$입니다. 직사각형의 네 변의 길이의 합은 몇 cm인지 풀이 과정을 쓰고 답을 구하시오. (4점)

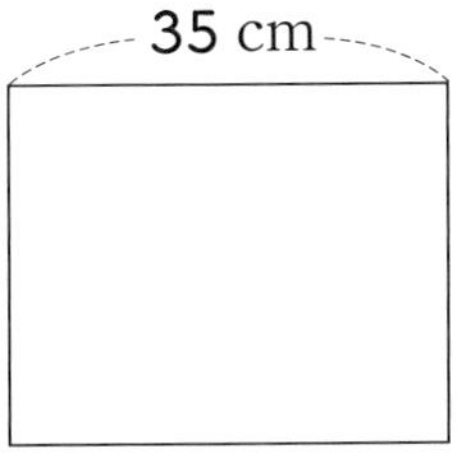

35 cm

답 _____

2 한별이는 사탕을 60개 가지고 있습니다. 그중에서 전체의 $\frac{1}{4}$을 친구에게 주고, 나머지의 $\frac{2}{3}$를 동생에게 주었습니다. 남은 사탕은 몇 개인지 풀이 과정을 쓰고 답을 구하시오. (5점)

답 _____

3 웅이 어머니는 70개가 들어 있는 사과 한 상자를 사 오셨습니다. 이 중에서 전체의 $\frac{1}{5}$은 할머니께 드리고, 나머지의 $\frac{1}{7}$은 이웃집에 주고, 나머지의 $\frac{3}{4}$은 웅이네 가족이 먹었습니다. 웅이네 집에 남은 사과는 몇 개인지 풀이 과정을 쓰고 답을 구하시오. (6점)

답 _____

서술형 탐구

오른쪽 분수는 진분수입니다. □ 안에 들어갈 수 있는 자연수는 모두 몇 개인지 풀이 과정을 쓰고 답을 구하시오. (4점)

$$\frac{\square}{5}$$

서술 길라잡이 진분수는 분자가 분모보다 작은 분수임을 이용합니다.

✎ $\frac{\square}{5}$가 진분수이려면 □ < 5이어야 합니다.

따라서 □ 안에 들어갈 수 있는 자연수는 1, 2, 3, 4로 모두 4개입니다.

답 _____4개_____

평가기준	□ 안에 들어갈 수 있는 자연수의 조건을 설명한 경우	2점	합
	□ 안에 들어갈 수 있는 자연수의 개수를 구한 경우	2점	4점

서술형 완성하기 서술형 풀이를 완성하고 답을 써 보시오.

1 오른쪽 분수는 가분수입니다. ●가 될 수 있는 자연수 중 가장 작은 수는 얼마인지 풀이 과정을 쓰고 답을 구하시오.

$$\frac{\bullet}{5}$$

✎ $\frac{\bullet}{5}$가 가분수이려면 ● = □이거나 ● > □이어야 합니다.

따라서 ●가 될 수 있는 자연수 중 가장 작은 수는 □입니다.

답 _____

2 분모가 4인 진분수를 모두 쓰려고 합니다. 풀이 과정을 쓰고 답을 구하시오.

✎ 분모가 4인 진분수를 $\frac{\blacksquare}{4}$라고 하면 ■ < □이어야 하므로

■가 될 수 있는 수는 1, 2, 3입니다.

따라서 분모가 4인 진분수를 모두 쓰면 $\frac{\square}{4}$, $\frac{\square}{4}$, $\frac{\square}{4}$입니다.

답 _____

1 $\dfrac{\square}{6}$ 는 진분수입니다. □ 안에 들어갈 수 있는 자연수는 모두 몇 개인지 풀이 과정을 쓰고 답을 구하시오. (4점)

답 _____

2 오른쪽 분수 카드의 분모에 물감이 묻어 숫자가 보이지 않습니다. 이 카드의 분수가 가분수라고 할 때, 분모가 될 수 있는 1보다 큰 숫자는 모두 몇 개인지 풀이 과정을 쓰고 답을 구하시오. (5점)

답 _____

3 자연수 부분이 3이고 분모가 7인 대분수는 모두 몇 개인지 풀이 과정을 쓰고 답을 구하시오. (5점)

답 _____

서술형 탐구

4. 분수 (4)

'나' 는 어떤 수인지 설명하시오. (5점)

> • '나' 는 진분수입니다.
> • 분모와 분자를 합하면 9입니다.
> • 분모와 분자의 차는 1입니다.

서술 길라잡이 먼저 합을 만족하는 두 수를 알아보고, 이 중에서 차가 1인 두 수를 찾아봅니다.

✎ 합이 9인 두 수는 (1, 8), (2, 7), (3, 6), (4, 5)입니다. 이 중에서 차가 1인 두 수는 4와 5이므로 구하는 진분수의 분자는 4이고 분모는 5입니다.

따라서 '나' 는 $\frac{4}{5}$ 입니다.

평가기준			
조건에 알맞은 두 수를 구한 경우	2점	합	
'나' 를 구한 경우	3점	5점	

서술형 완성하기

서술형 풀이를 완성하고 답을 써 보시오.

1 분모와 분자의 합이 13이고 차가 1인 진분수가 있습니다. 이 진분수를 구하는 풀이 과정을 쓰고 답을 구하시오.

✎ 합이 13인 두 수는 (1, 12), (2, 11), (3, 10), (4, 9), (5, 8), (6, 7)입니다. 이 중에서 차가

1인 두 수는 ☐과 7이므로 구하는 진분수의 분자는 ☐이고 분모는 ☐입니다.

따라서 구하는 진분수는 $\frac{☐}{☐}$ 입니다.　　　　　　　답 _____

2 분모와 분자의 합이 11이고 차가 3인 가분수가 있습니다. 이 가분수를 구하는 풀이 과정을 쓰고 답을 구하시오.

✎ 합이 11인 두 수는 (1, 10), (2, 9), (3, 8), (4, 7), (5, 6)입니다. 이 중에서 차가 3인 두

수는 4와 ☐이므로 구하는 가분수의 분자는 ☐이고 분모는 ☐입니다.

따라서 구하는 가분수는 $\frac{☐}{☐}$ 입니다.　　　　　　　답 _____

1 '나' 는 어떤 수인지 설명하시오. (5점)

> • '나' 는 진분수입니다.
> • 분모와 분자를 합하면 **8**입니다.
> • 분모와 분자의 차는 **2**입니다.

2 분모와 분자의 합이 15이고 차가 11인 가분수가 있습니다. 이 가분수를 구하는 풀이 과정을 쓰고 답을 구하시오. (5점)

답 _____

3 분모와 분자의 합이 17이고 차가 9인 진분수가 있습니다. 이 진분수를 구하는 풀이 과정을 쓰고 답을 구하시오. (5점)

답 _____

그림을 보고 $\dfrac{7}{2}=3\dfrac{1}{2}$인 이유를 설명하시오. (4점)

서술 길라잡이 색칠한 부분을 가분수와 대분수로 각각 나타내 봅니다.

✏ 색칠한 부분은 $\dfrac{1}{2}$이 7개이므로 $\dfrac{7}{2}$입니다.

또, 색칠한 부분은 완전히 칠해진 사각형 3개와 $\dfrac{1}{2}$이므로 $3\dfrac{1}{2}$로 나타낼 수 있습니다.

따라서 $\dfrac{7}{2}=3\dfrac{1}{2}$입니다.

평가 기준	색칠한 부분을 가분수로 설명한 경우	2점	합 4점
	색칠한 부분을 대분수로 설명한 경우	2점	

서술형 완성하기   서술형 풀이를 완성하시오.

1 그림을 보고 $2\dfrac{3}{4}=\dfrac{11}{4}$인 이유를 설명하시오.

✏ 색칠한 부분은 완전히 칠해진 원 2개와 $\dfrac{1}{4}$이 3개이므로 $\boxed{}\dfrac{\boxed{}}{4}$입니다.

또, 완전히 칠해진 원 2개를 똑같이 넷으로 나누면 색칠한 부분은 $\dfrac{1}{4}$이 $\boxed{}$개이므로

$\dfrac{\boxed{}}{4}$로 나타낼 수 있습니다.

따라서 $2\dfrac{3}{4}=\dfrac{11}{4}$입니다.

1 그림을 보고 $\dfrac{8}{3} = 2\dfrac{2}{3}$ 인 이유를 설명하시오. (4점)

2 $\dfrac{9}{5} = 1\dfrac{4}{5}$ 인 이유를 그림을 그려서 설명하시오. (5점)

3 $2\dfrac{5}{8} = \dfrac{21}{8}$ 인 이유를 그림을 그려서 설명하시오. (5점)

서술형 탐구

4. 분수 (6)

숫자 카드 5 , 8 , 2 를 모두 사용하여 가장 큰 대분수를 만들었습니다. 만든 대분수를 가분수로 나타내면 얼마인지 풀이 과정을 쓰고 답을 구하시오. (6점)

서술 길라잡이 대분수는 자연수 부분이 클수록 큰 분수이고, 자연수 부분이 같으면 분자가 클수록 큰 분수입니다.

가장 큰 대분수는 자연수 부분에 가장 큰 숫자인 8을 놓고 나머지 5와 2로 진분수를 만들면 되므로 $8\frac{2}{5}$ 입니다. 따라서 $8\frac{2}{5}$ 를 가분수로 나타내면 $\frac{42}{5}$ 입니다.

답 $\frac{42}{5}$

평가기준	가장 큰 대분수를 만든 경우	3점	합 6점
	만든 대분수를 가분수로 나타낸 경우	3점	

서술형 완성하기   서술형 풀이를 완성하고 답을 써 보시오.

1 숫자 카드 4 , 9 , 7 을 모두 사용하여 가장 작은 대분수를 만들었습니다. 만든 대분수를 가분수로 나타내면 얼마인지 풀이 과정을 쓰고 답을 구하시오.

가장 작은 대분수는 자연수 부분에 가장 작은 숫자인 4를 놓고 9와 7로 진분수를 만들면 되므로 $4\frac{\Box}{\Box}$ 입니다. 따라서 $4\frac{\Box}{\Box}$ 을 가분수로 나타내면 $\frac{\Box}{\Box}$ 입니다.

답 _____

2 숫자 카드 4 , 5 , 7 , 2 중에서 3장을 골라 분모가 7인 가장 큰 대분수를 만들었습니다. 만든 대분수를 가분수로 나타내면 얼마인지 풀이 과정을 쓰고 답을 구하시오.

분모가 7인 가장 큰 대분수는 자연수 부분에 7을 제외한 숫자 중 가장 큰 숫자인 5를 놓고 나머지 숫자로 가장 큰 진분수를 만들면 되므로 $5\frac{\Box}{7}$ 입니다.

따라서 $5\frac{\Box}{7}$ 를 가분수로 나타내면 $\frac{\Box}{\Box}$ 입니다.   답 _____

1 숫자 카드 2, 9, 3 을 모두 사용하여 가장 큰 대분수를 만들었습니다. 만든 대분수를 가분수로 나타내면 얼마인지 풀이 과정을 쓰고 답을 구하시오. (6점)

답 _____

2 숫자 카드 6, 1, 5 를 한 번씩 사용하여 가장 작은 대분수를 만들었습니다. 만든 대분수를 가분수로 나타내면 얼마인지 풀이 과정을 쓰고 답을 구하시오. (6점)

답 _____

3 숫자 카드 3, 9, 2, 8, 4 중에서 3장을 골라 분모가 4인 가장 큰 대분수를 만들었습니다. 만든 대분수를 가분수로 나타내면 얼마인지 풀이 과정을 쓰고 답을 구하시오. (6점)

답 _____

한별, 동민, 가영이가 가지고 있는 테이프의 길이입니다. 동민이의 테이프가 가장 길고 한별이의 테이프가 가장 짧다면 가영이가 가지고 있는 테이프의 길이는 몇 m인지 가분수로 나타내고, 그 이유를 설명하시오. (6점)

$$한별 : 1\frac{4}{8} \text{ m} \qquad 동민 : \frac{14}{8} \text{ m} \qquad 가영 : \frac{\square}{8} \text{ m}$$

서술 길라잡이 한별, 동민, 가영이의 테이프의 길이를 비교하면 $1\frac{4}{8}$ m $< \frac{\square}{8}$ m $< \frac{14}{8}$ m입니다.

🖉 $1\frac{4}{8}$ 를 가분수로 나타내면 $\frac{12}{8}$ 입니다.

$\frac{12}{8} < \frac{\square}{8} < \frac{14}{8}$ 에서 $12 < \square < 14$이므로 $\square$ 안에 들어갈 수 있는 수는 13입니다.

따라서 가영이가 가지고 있는 테이프의 길이를 가분수로 나타내면 $\frac{13}{8}$ m입니다.

답 _____ $\frac{13}{8}$ m

평가기준	□ 안에 들어갈 수 있는 수를 설명한 경우	3점	합 6점
	가영이가 가지고 있는 테이프의 길이를 구한 경우	3점	

서술형 완성하기   서술형 풀이를 완성하고 답을 써 보시오.

1 가, 나, 다 3개의 막대가 있습니다. 다 막대의 길이가 가장 길고 나 막대의 길이가 가장 짧다면 가 막대의 길이는 몇 m인지 대분수로 나타내고, 그 이유를 설명하시오.

$$가 : 1\frac{\blacksquare}{5} \text{ m} \qquad 나 : 1\frac{2}{5} \text{ m} \qquad 다 : \frac{9}{5} \text{ m}$$

🖉 $\frac{9}{5}$ 를 대분수로 나타내면 $1\frac{4}{5}$ 입니다. $1\frac{2}{5} < 1\frac{\blacksquare}{5} < 1\frac{4}{5}$ 에서 $2 < \blacksquare < 4$이므로

$\blacksquare$ 안에 들어갈 수는 $\boxed{}$ 입니다. 따라서 가 막대의 길이를 대분수로 나타내면

$1\frac{\boxed{}}{5}$ m입니다.

답 _____

1 분모가 12인 분수 중에서 $\dfrac{19}{12}$ 보다 크고 $2\dfrac{1}{12}$ 보다 작은 가분수는 모두 몇 개인지

풀이 과정을 쓰고 답을 구하시오. (6점)

답 _____

2 미술 시간에 지혜, 가영, 예슬 세 사람이 각자 사용할 리본의 길이에 대하여 이야기 하고 있습니다. 지혜가 사용할 리본이 가장 길고 가영이가 사용할 리본이 가장 짧 다면 예슬이가 사용할 리본의 길이는 몇 m가 될 수 있는지 대분수로 모두 구하고 이유를 설명하시오. (6점)

내가 사용할 리본은 $\dfrac{53}{20}$ m야.
지혜

내가 사용할 리본은 $2\dfrac{9}{20}$ m야.
가영

내가 사용할 리본은 $2\dfrac{\square}{20}$ m야.
예슬

답 _____

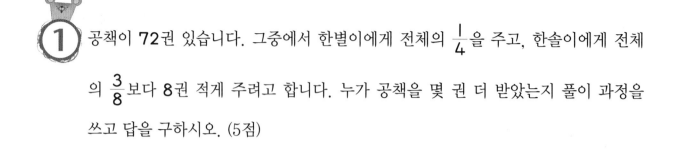

1 공책이 72권 있습니다. 그중에서 한별이에게 전체의 $\frac{1}{4}$ 을 주고, 한솔이에게 전체의 $\frac{3}{8}$ 보다 8권 적게 주려고 합니다. 누가 공책을 몇 권 더 받았는지 풀이 과정을 쓰고 답을 구하시오. (5점)

답 _____

2 $\frac{\blacksquare}{7}$ 는 진분수입니다. ■ 안에 들어갈 수 있는 자연수는 모두 몇 개인지 풀이 과정을 쓰고 답을 구하시오. (4점)

답 _____

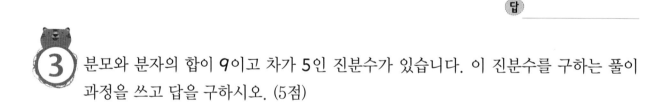

3 분모와 분자의 합이 9이고 차가 5인 진분수가 있습니다. 이 진분수를 구하는 풀이 과정을 쓰고 답을 구하시오. (5점)

답 _____

4 $\dfrac{11}{9} = 1\dfrac{2}{9}$ 인 이유를 그림을 그려서 설명하시오. (5점)

5 숫자 카드 3 , 7 , 5 를 모두 사용하여 가장 큰 대분수를 만들었습니다. 만든 대분수를 가분수로 나타내면 얼마인지 풀이 과정을 쓰고 답을 구하시오. (6점)

답 _____

6 한초는 $\dfrac{14}{10}$ m, 동민이는 $1\dfrac{9}{10}$ m, 예슬이는 $\dfrac{\square}{10}$ m의 끈을 가지고 있습니다. 동민이의 끈이 가장 길고 한초의 끈이 가장 짧다면 예슬이가 가지고 있는 끈의 길이는 몇 m가 될 수 있는지 가분수로 모두 나타내고 이유를 설명하시오. (6점)

답 _____

숨은 그림 찾기

친구와 함께 야구 놀이

⭐ 숨은 그림 : 전구, 주사기, 밤, 긴 칼, 마녀 모자, 샌드위치

5 들이와 무게

주전자와 물병에 각각 물을 가득 채웠다가 모양과 크기가 같은 그릇에 옮겨 담았더니 그림과 같이 되었습니다. 주전자와 물병 중 어느 것의 들이가 더 많은지 풀이 과정을 쓰고 답을 구하시오. (4점)

서술 길라잡이 그릇의 물의 높이를 비교해 봅니다.

✎ 그릇에 옮겨 담은 물의 높이를 비교하여 물의 높이가 더 높은 쪽의 들이가 더 많습니다.
따라서 물의 높이가 더 높은 주전자의 들이가 더 많습니다.

답   주전자

평가 기준	바르게 설명한 경우	2점	합 4점
	답을 바르게 쓴 경우	2점	

서술형 완성하기

서술형 풀이를 완성하고 답을 써 보시오.

1 모양이 다른 두 그릇에 물을 가득 채우기 위해 모양과 크기가 같은 컵으로 가 그릇에 4번, 나 그릇에 6번 부었습니다. 어느 그릇의 들이가 더 많은지 풀이 과정을 쓰고 답을 구하시오.

✎ 모양과 크기가 같은 컵으로 부은 횟수가 더 (적을수록, 많을수록) 들이가 더 많습니다.
따라서 부은 횟수가 더 (적은, 많은) (가, 나) 그릇의 들이가 더 많습니다.

답 _____

2 수조에 물을 가득 채우려면 가 컵으로는 7번, 나 컵으로는 8번, 다 컵으로는 6번 부어야 합니다. 어느 컵의 들이가 가장 많은지 풀이 과정을 쓰고 답을 구하시오.

✎ 부은 횟수가 적을수록 컵의 들이가 더 (적습니다, 많습니다).
따라서 부은 횟수가 가장 (적은, 많은) (가, 나, 다) 컵의 들이가 가장 많습니다.

답 _____

1 가, 나, 다 그릇에 물을 가득 채웠다가 모양과 크기가 같은 그릇에 각각 옮겨 담았습니다. 들이가 가장 많은 그릇부터 순서대로 쓰려고 합니다. 풀이 과정을 쓰고 답을 구하시오. (4점)

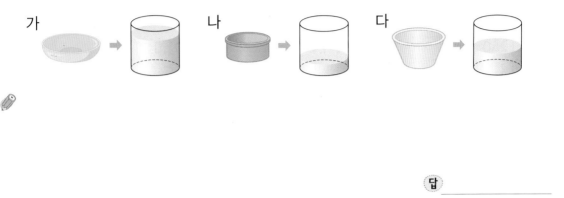

답 _____

2 모양이 다른 두 수조에 물을 가득 채우기 위해 모양과 크기가 같은 컵으로 다음과 같이 물을 부었습니다. 들이가 더 많은 수조는 어느 것인지 풀이 과정을 쓰고 답을 구하시오. (4점)

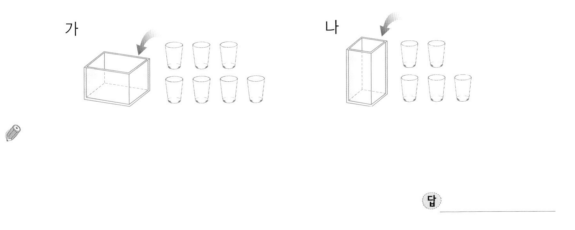

답 _____

3 양동이에 물을 가득 채우려면 가 컵으로는 8번, 나 컵으로는 10번 부어야 합니다. 어느 컵의 들이가 더 많은지 풀이 과정을 쓰고 답을 구하시오. (4점)

답 _____

물이 물통에는 1250 mL 들어 있고, 주전자에는 1 L 200 mL 들어 있습니다. 어느 쪽에 들어 있는 물의 양이 더 많은지 풀이 과정을 쓰고 답을 구하시오. (4점)

서술 길라잡이 1250 mL와 1 L 200 mL의 단위를 통일하여 물의 양을 비교합니다.

1250 mL＝1 L 250 mL이고, 1 L 250 mL와 1 L 200 mL의 크기를 비교하면 1 L 250 mL＞1 L 200 mL입니다.

따라서 물통에 들어 있는 물의 양이 더 많습니다.

답   물통

평가 기준		합 4점
단위를 통일한 경우	1점	
물의 양을 바르게 비교한 경우	2점	
답을 바르게 구한 경우	1점	

서술형 완성하기 서술형 풀이를 완성하고 답을 써 보시오.

1 석기는 일주일 동안 우유를 1690 mL 마셨고, 영수는 1 L 800 mL 마셨습니다. 일주일 동안 마신 우유는 누가 더 많은지 풀이 과정을 쓰고 답을 구하시오.

1690 mL＝□ L □ mL이고, □ L □ mL와 1 L 800 mL의 크기를 비교하면 □ L □ mL ◯ 1 L 800 mL입니다.

따라서 일주일 동안 마신 우유는 □가 더 많습니다.

답

2 희망 가게는 하루 동안 물을 5 L 600 mL 팔았고, 행복 가게는 5580 mL 팔았습니다. 어느 가게가 물을 더 많이 팔았는지 풀이 과정을 쓰고 답을 구하시오.

5 L 600 mL＝□ mL이고, □ mL와 5580 mL의 크기를 비교하면 □ mL ◯ 5580 mL입니다.

따라서 □ 가게가 물을 더 많이 팔았습니다.

답

1 항아리와 양동이에 다음과 같이 물이 들어 있습니다. 어느 쪽에 물이 더 많이 들어 있는지 풀이 과정을 쓰고 답을 구하시오. (4점)

3 L 40 mL   3200 mL

답 _____

2 한초네 가족이 어제 사용한 물은 7 L 900 mL이고, 오늘 사용한 물은 8100 mL 입니다. 어제와 오늘 중 언제 물을 더 많이 사용하였는지 풀이 과정을 쓰고 답을 구하시오. (4점)

답 _____

3 가, 나, 다 용기 중 우유가 가장 많이 들어 있는 것은 어느 것인지 풀이 과정을 쓰고 답을 구하시오. (4점)

가   나   다

980 mL   1500 mL   1 L 200 mL

답 _____

주전자와 물병에 물을 가득 채운 후 수조에 부으면 물의 양은 몇 L 몇 mL인지 풀이 과정을 쓰고 답을 구하시오. (4점)

물병

주전자

  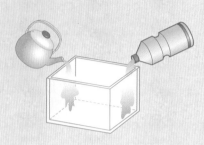

2 L 500 mL ㅣL 200 mL

서술 길라잡이 들이에서 합과 차를 구할 때에는 mL는 mL끼리, L는 L끼리 계산합니다.

✎ 수조에 부은 물의 양은 주전자의 들이와 물병의 들이의 합과 같으므로

2 L 500 mL + ㅣL 200 mL = 3 L 700 mL입니다.

답   3 L 700 mL

평가기준	들이의 합을 구하는 식을 세운 경우	2점	합 4점
	답을 바르게 구한 경우	2점	

서술형 완성하기   서술형 풀이를 완성하고 답을 써 보시오.

[1~2] 그림을 보고 물음에 답하시오.

우유병

대야

 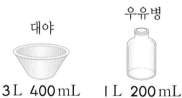 

3 L 400 mL ㅣL 200 mL

1 대야와 우유병에 물을 가득 채운 후 수조에 부으면 물의 양은 몇 L 몇 mL인지 풀이 과정을 쓰고 답을 구하시오.

✎ 수조에 부은 물의 양은 대야의 들이와 우유병의 들이의 합과 같으므로

3 L 400 mL + ㅣL 200 mL = ☐ L ☐ mL입니다.   **답** _____

2 대야에 물을 가득 채워 수조에 부은 후 우유병으로 물을 가득 담아 덜어 내면 수조에 남은 물은 몇 L 몇 mL인지 풀이 과정을 쓰고 답을 구하시오.

✎ 수조에 남은 물의 양은 대야의 들이와 우유병의 들이의 차와 같으므로

3 L 400 mL − ㅣL 200 mL = ☐ L ☐ mL입니다.   **답** _____

[1~3] 그림을 보고 물음에 답하시오.

 가　 나　 다　 라　

3 L 400 mL　　1 L 500 mL　　1700 mL　　800 mL

1 가 용기에 물을 가득 채워 수조에 부은 후 나 용기로 물을 가득 담아 1번 덜어 내면 수조에 남은 물은 몇 L 몇 mL인지 풀이 과정을 쓰고 답을 구하시오. (4점)

답 _____

2 가 용기와 라 용기에 물을 가득 채운 후 수조에 부으면 물의 양은 몇 L 몇 mL인지 풀이 과정을 쓰고 답을 구하시오. (4점)

답 _____

3 다 용기의 물을 가득 채워 수조에 부은 후 라 용기로 물을 가득 담아 덜어 내면 수조에 남은 물은 몇 mL인지 풀이 과정을 쓰고 답을 구하시오. (4점)

답 _____

서술형 탐구

그림을 보고 연필과 지우개 중에서 어느 것이 얼마나 더 무거운지 쓰고 이유를 설명하시오. (4점)

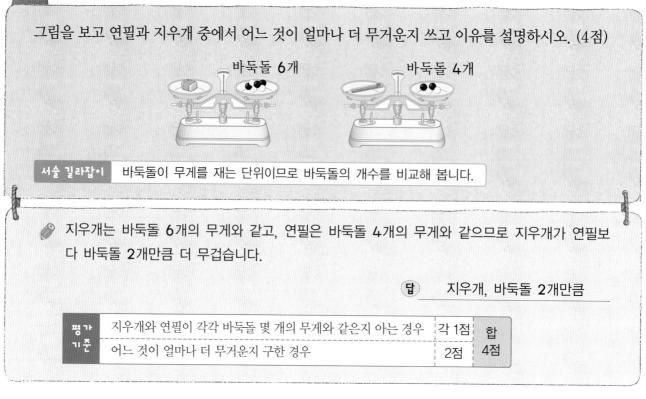

바둑돌 6개   바둑돌 4개

서술 길라잡이 바둑돌이 무게를 재는 단위이므로 바둑돌의 개수를 비교해 봅니다.

✏️ 지우개는 바둑돌 6개의 무게와 같고, 연필은 바둑돌 4개의 무게와 같으므로 지우개가 연필보다 바둑돌 2개만큼 더 무겁습니다.

답 지우개, 바둑돌 2개만큼

평가기준	지우개와 연필이 각각 바둑돌 몇 개의 무게와 같은지 아는 경우	각 1점	합 4점
	어느 것이 얼마나 더 무거운지 구한 경우	2점	

서술형 완성하기 서술형 풀이를 완성하고 답을 써 보시오.

[1~2] 그림을 보고 물음에 답하시오.

100원짜리 동전 5개   100원짜리 동전 8개

1 자와 가위 중에서 어느 것이 얼마나 더 무거운지 쓰고 이유를 설명하시오.

✏️ 자는 100원짜리 동전 ☐개의 무게와 같고, 가위는 100원짜리 동전 ☐개의 무게와 같으므로 ☐가 ☐보다 100원짜리 동전 ☐개만큼 더 무겁습니다.

답

2 동전 대신 클립을 이용하여 무게를 재어 보았더니 다음과 같았습니다. 자와 가위 중에서 어느 것이 얼마나 더 무거운지 쓰고 이유를 설명하시오.

> 자의 무게 : 클립 20개, 가위의 무게 : 클립 32개

✏️ 자는 클립 ☐개의 무게와 같고, 가위는 클립 ☐개의 무게와 같으므로 ☐가 ☐보다 클립 ☐개만큼 더 무겁습니다.

답

1 그림을 보고 가위와 풀 중에서 어느 것이 얼마나 더 무거운지 쓰고 이유를 설명하시오. (4점)

구슬 6개   구슬 8개

답 _____

2 그림을 보고 바나나와 귤 중에서 어느 것이 얼마나 더 가벼운지 쓰고 이유를 설명하시오. (4점)

100원짜리 동전 13개   100원짜리 동전 10개

답 _____

3 여러 단위를 이용하여 크레파스와 물감의 무게를 알아보았더니 다음과 같았습니다. 무엇이 얼마나 더 무거운지 2가지 방법으로 설명하시오. (4점)

단위	크레파스의 무게	물감의 무게
바둑돌	3개	4개
클립	21개	28개

[방법 1]

[방법 2]

서술형 탐구

고구마가 15 kg씩 들어 있는 상자를 트럭에 싣고 있습니다. 트럭에 고구마 상자 400개를 싣는다면 실린 고구마의 무게는 모두 몇 t인지 풀이 과정을 쓰고 답을 구하시오. (4점)

서술 길라잡이 고구마의 무게를 kg 단위로 구한 다음 t 단위로 고칩니다.

✏️ (트럭에 실린 고구마의 무게)=15×400=6000(kg) ➡ 6 t
따라서 트럭에 실린 고구마의 무게는 6 t입니다.

답 ____6 t____

평가기준	트럭에 실린 고구마의 무게를 kg 단위로 구한 경우	2점	합 4점
	트럭에 실린 고구마의 무게를 t 단위로 고친 경우	2점	

서술형 완성하기
빈칸을 채우며 서술형 풀이를 완성하고 답을 쓰시오.

1 2 t까지 실을 수 있는 엘리베이터가 있습니다. 이 엘리베이터에 몸무게가 50 kg인 사람은 몇 명까지 탈 수 있는지 풀이 과정을 쓰고 답을 구하시오.

✏️ 엘리베이터에 실을 수 있는 무게는 2 t=☐ kg입니다.
(엘리베이터에 탈 수 있는 사람의 수)=☐÷50=☐(명)
따라서 엘리베이터에 몸무게가 50 kg인 사람은 ☐명까지 탈 수 있습니다.

답 _____

2 가영이네 학교 5학년 학생들이 5개월 동안 모은 헌 종이를 나타낸 표입니다. 가영이네 학교 5학년 학생들이 모은 헌 종이는 모두 몇 t인지 풀이 과정을 쓰고 답을 구하시오.

모은 헌 종이의 무게

월	1	2	3	4	5
헌 종이의 무게(kg)	350	430	320	300	500

✏️ (모은 헌 종이의 무게)=350+430+320+300+500=☐(kg) ➡ ☐ t
따라서 가영이네 학교 5학년 학생들이 모은 헌 종이는 모두 ☐ t입니다.

답 _____

서술형 정복하기

1 쌀 한 가마의 무게는 80 kg입니다. 쌀 30가마의 무게는 모두 몇 t인지 풀이 과정을 쓰고 답을 구하시오. (4점)

답 _____

2 3 t까지 실을 수 있는 트럭이 있습니다. 이 트럭에 한 개의 무게가 30 kg인 상자를 몇 개까지 실을 수 있는지 풀이 과정을 쓰고 답을 구하시오. (4점)

답 _____

3 지혜네 마을에서 수확한 옥수수의 양을 나타낸 표입니다. 지혜네 마을의 옥수수 수확량은 모두 몇 t인지 풀이 과정을 쓰고 답을 구하시오. (4점)

옥수수 수확량

가구 이름	지혜네	동민이네	석기네	예슬이네	영수네
수확량(kg)	500	730	880	620	720

답 _____

예슬이는 헌 종이를 5 kg 400 g 모았고, 웅이는 4 kg 300 g 모았습니다. 두 사람이 모은 헌 종이의 무게는 몇 kg 몇 g인지 풀이 과정을 쓰고 답을 구하시오. (4점)

서술 길라잡이 무게에서 합과 차를 구할 때에는 g은 g끼리, kg은 kg끼리 계산합니다.

🖊 예슬이가 모은 헌 종이의 무게와 웅이가 모은 헌 종이의 무게의 합을 구하면
5 kg 400 g+4 kg 300 g=9 kg 700 g입니다.

답   9 kg 700 g

평가 기준	무게의 합을 구하는 식을 세운 경우	2점	합 4점
	답을 바르게 구한 경우	2점	

서술형 완성하기   서술형 풀이를 완성하고 답을 써 보시오.

1 책의 무게는 2 kg 500 g이고, 가방의 무게는 400 g입니다. 책을 가방에 넣어 무게를 재면 몇 kg 몇 g인지 풀이 과정을 쓰고 답을 구하시오.

🖊 책의 무게와 가방의 무게의 합을 구하면

2 kg 500 g+☐ g=☐ kg ☐ g입니다.

답 _____

2 설탕이 5 kg 500 g 있습니다. 그중에서 빵을 만드는 데 1 kg 200 g을 사용하였습니다. 남은 설탕은 몇 kg 몇 g인지 풀이 과정을 쓰고 답을 구하시오.

🖊 남은 설탕은 처음에 있던 설탕보다 ☐ kg ☐ g 적으므로

5 kg 500 g−☐ kg ☐ g=☐ kg ☐ g입니다.

답 _____

3 과학책과 동화책의 무게의 합은 1 kg 800 g입니다. 과학책의 무게가 700 g이면 동화책의 무게는 몇 kg 몇 g인지 풀이 과정을 쓰고 답을 구하시오.

🖊 과학책과 동화책의 무게의 합에서 ☐의 무게를 빼면

☐ kg ☐ g−☐ g=☐ kg ☐ g입니다.

답 _____

1 가영이는 어제 고구마를 14 kg 600 g 캤고, 오늘은 어제보다 5 kg 800 g 더 많이 캤습니다. 오늘 캔 고구마는 몇 kg 몇 g인지 풀이 과정을 쓰고 답을 구하시오.

(4점)

답 _____

2 솔별이의 몸무게는 32 kg 500 g입니다. 솔별이가 강아지를 안고 저울에 올라갔더니 무게가 37 kg 350 g이 되었습니다. 강아지의 무게는 몇 kg 몇 g인지 풀이 과정을 쓰고 답을 구하시오. (4점)

답 _____

3 지혜와 한초가 책을 각각 모아서 저울에 재어 보았습니다. 두 사람이 모은 책의 무게는 몇 kg 몇 g인지 풀이 과정을 쓰고 답을 구하시오. (6점)

답 _____

2 L 700 mL＋1 L 900 mL＝4 L 600 mL를 2가지 방법으로 설명하시오. (4점)

서술 길라잡이 L는 L끼리, mL는 mL끼리 더하고 mL끼리 더한 값이 1000 mL와 같거나 크면 1 L로 받아올림합니다.

[방법 1] 수직선으로 알아보기

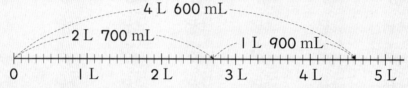

[방법 2] 계산으로 알아보기

$$
\begin{array}{rr}
 & 2\ \text{L} \quad 700\ \text{mL} \\
+ & 1\ \text{L} \quad 900\ \text{mL} \\
\hline
 & 3\ \text{L} \quad 1600\ \text{mL} \\
 & \underline{1\ \text{L} \leftarrow 1000\ \text{mL}} \\
 & 4\ \text{L} \quad 600\ \text{mL}
\end{array}
\Rightarrow
\begin{array}{r}
\overset{1}{} \\
2\ \text{L}\ 700\ \text{mL} \\
+\ 1\ \text{L}\ 900\ \text{mL} \\
\hline
4\ \text{L}\ 600\ \text{mL}
\end{array}
$$

평가 기준 한 가지 방법을 설명할 때마다 2점씩 배점하여 총 4점이 되도록 평가합니다. **합 4점**

서술형 완성하기   서술형 풀이를 완성하시오.

1 3 L 400 mL－1 L 600 mL＝1 L 800 mL를 2가지 방법으로 설명하시오.

[방법 1] 수직선으로 알아보기

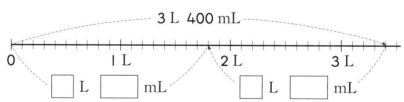

[방법 2] 계산으로 알아보기

$$
\begin{array}{r}
\boxed{} \quad 1000 \\
3\ \text{L} \quad 400\ \text{mL} \\
-\ \boxed{}\ \text{L}\ \boxed{}\ \text{mL} \\
\hline
\boxed{}\ \text{L}\ \boxed{}\ \text{mL}
\end{array}
$$

1 1 kg 900 g＋1 kg 300 g＝3 kg 200 g을 2가지 방법으로 설명하시오. (4점)

✎ [방법 1]

[방법 2]

2 4 kg 200 g－1 kg 800 g＝2 kg 400 g을 2가지 방법으로 설명하시오. (4점)

✎ [방법 1]

[방법 2]

① 모양이 다른 세 그릇에 물을 가득 채우기 위해 모양과 크기가 같은 컵으로 가 그릇에 **7**번, 나 그릇에 **9**번, 다 그릇에 **6**번 부었습니다. 들이가 가장 많은 그릇부터 순서대로 쓰려고 합니다. 풀이 과정을 쓰고 답을 구하시오. (4점)

가　　　　　　나　　　　　　다

답 _____

② 빨간색 페인트가 **4 L 370 mL** 있고, 파란색 페인트가 **4280 mL** 있습니다. 어느 색 페인트가 더 많은지 풀이 과정을 쓰고 답을 구하시오. (4점)

답 _____

③ 물통에 물을 가득 채워 수조에 부은 후 음료수병으로 물을 가득 담아 덜어 내면 수조에 남은 물은 몇 L 몇 mL인지 풀이 과정을 쓰고 답을 구하시오. (4점)

물통　　　　음료수병

4 L 500 mL　　750 mL

답 _____

4 그림을 보고 감자와 고구마 중에서 어느 것이 얼마나 더 무거운지 쓰고 이유를 설명하시오. (4점)

100원짜리
동전 28개

100원짜리
동전 32개

답 _____

5 포도를 한 상자에 4 kg 850 g씩 담아서 포장하고 있습니다. 두 상자에 들어 있는 포도의 무게는 몇 kg 몇 g인지 풀이 과정을 쓰고 답을 구하시오. (4점)

답 _____

6 4 kg 500 g－2 kg 600 g＝1 kg 900 g을 2가지 방법으로 설명하시오. (4점)

[방법 1]

[방법 2]

숨은 그림 찾기
신나는 민속 놀이

⭐ 숨은 그림 : 국자, 삼각자, 여자 구두, 모자, 거북이, 조개

6 자료의 정리

어느 회사의 공장별 생산한 자동차 수를 조사하여 나타낸 그림그래프입니다. 자동차를 가장 많이 생산한 공장은 어디인지 풀이 과정을 쓰고 답을 구하시오. (4점)

공장별 생산한 자동차 수

공장	자동차 수
가	
나	
다	
라	
마	

🚗 100대
🚗 10대

서술 길라잡이 큰 그림의 수가 가장 많은 것을 찾습니다.

✏️ 큰 그림의 수가 가장 많은 공장은 가 공장입니다.
따라서 자동차를 가장 많이 생산한 공장은 가 공장입니다.

답 ___가 공장___

평가 기준	큰 그림의 수를 이용하여 설명한 경우	2점	합 4점
	답을 바르게 쓴 경우	2점	

서술형 완성하기 서술형 풀이를 완성하고 답을 써 보시오.

[1~2] 위 그림그래프를 보고 물음에 답하시오.

1 자동차를 가장 적게 생산한 공장은 어디인지 풀이 과정을 쓰고 답을 구하시오.

✏️ ☐ 그림의 수가 가장 (많은, 적은) 공장을 찾으면 ☐ 공장입니다.

따라서 자동차를 가장 적게 생산한 공장은 ☐ 공장입니다.

답 _____

2 생산한 자동차 수가 라 공장보다 많은 공장을 모두 찾으려고 합니다. 풀이 과정을 쓰고 답을 구하시오.

✏️ 라 공장보다 ☐ 그림의 수가 (많은, 적은) 공장은 ☐ 공장과 ☐ 공장입니다.

따라서 라 공장보다 많은 자동차를 생산한 공장은 ☐ 공장과 ☐ 공장입니다.

답 _____

[1~3] 마을별 심은 나무의 수를 조사하여 나타낸 그림그래프입니다. 물음에 답하시오.

마을별 심은 나무 수

마을	나무 수
푸른	
새싹	
행복	
믿음	
사랑	
소망	

🌳 10그루
🌳 1그루

1 나무를 가장 많이 심은 마을은 어느 마을인지 풀이 과정을 쓰고 답을 구하시오. (4점)

✏️

답 _____

2 나무를 가장 적게 심은 마을은 어느 마을인지 풀이 과정을 쓰고 답을 구하시오. (4점)

✏️

답 _____

3 믿음 마을보다 심은 나무의 수가 적은 마을을 모두 찾으려고 합니다. 풀이 과정을 쓰고 답을 구하시오. (4점)

✏️

답 _____

과수원별 귤 생산량을 조사하여 나타낸 표입니다. 표를 보고 그림그래프를 완성하고 그리는 방법을 설명하시오. (6점)

과수원별 귤 생산량

과수원	초록	햇빛	파란	합계
생산량(상자)	250	170	320	740

서술 길라잡이 생산량의 일의 자리 숫자가 모두 0이므로 그림그래프로 나타낼 때 그림을 2가지로 나타냅니다.

① 그림을 2가지로 나타냅니다.
② 알맞은 그림으로 나타냅니다.
③ 조사한 수에 맞도록 그림을 그립니다.
④ 그림그래프의 제목을 과수원별 귤 생산량이라고 붙입니다.

평가기준	그림그래프로 바르게 나타낸 경우	3점	합 6점
	그리는 방법을 바르게 설명한 경우	3점	

과수원별 귤 생산량

과수원	생산량
초록	
햇빛	
파란	

🟠100상자 ⚪ 10상자

서술형 완성하기   서술형 풀이를 완성하고 답을 써 보시오.

1 각 마을에 사는 학생 수를 조사하여 나타낸 표입니다. 표를 보고 그림그래프를 완성하고 그리는 방법을 설명하시오.

마을별 학생 수

마을	별빛	달빛	하늘	호수	합계
학생 수(명)	28	34	40	17	119

마을별 학생 수

마을	학생 수
별빛	
달빛	
하늘	
호수	

😊 10명 🙂 1명

① 그림을 ▢가지로 나타냅니다.
② 알맞은 ▢으로 나타냅니다.
③ 조사한 수에 맞도록 ▢을 그립니다.
④ 그림그래프의 제목을 ▢라고 붙입니다.

1 마을별 감자 생산량을 조사하여 나타낸 표입니다. 그림그래프로 나타낼 때 그림을 몇 가지로 나타내는 것이 좋은지 풀이 과정을 쓰고 답을 구하시오. (4점)

마을별 감자 생산량

마을	초롱	노을	새벽	샛별	장수	합계
생산량(kg)	272	120	375	293	140	1200

🖉

답 _____

2 어느 아파트의 동별 신문을 보는 가구 수를 조사하여 나타낸 표입니다. 표를 보고 그림그래프를 완성하고 그리는 방법을 설명하시오. (6점)

동별 신문을 보는 가구 수

동	가	나	다	라	마	합계
가구 수(가구)	62	54	80	73	45	314

동별 신문을 보는 가구 수

동	가구 수
가	
나	
다	
라	
마	

10가구
1가구

🖉

솔별이네 반 학생들이 가장 좋아하는 과일을 조사하여 나타낸 표입니다. 빈칸에 알맞은 수는 얼마인지 설명하고, 그림그래프를 완성하시오. (6점)

좋아하는 과일별 학생 수

과일	사과	귤	포도	딸기	합계
학생 수(명)	14	7	11	2	34

좋아하는 과일별 학생 수

과일	학생 수
사과	☺ ☺☺☺☺
귤	☺☺☺☺☺☺☺
포도	☺ ☺
딸기	☺ ☺

☺ 10명
☺ 1명

서술 길라잡이 표에서 합계를 이용하여 빈칸에 알맞은 수를 구할 수 있습니다.

✏️ 포도를 좋아하는 학생을 뺀 나머지 학생 수가 14+7+2=23(명)이므로 포도를 좋아하는 학생 수는 34-23=11(명)입니다.

평가 기준	포도를 좋아하는 학생을 뺀 나머지 학생 수의 합을 구한 경우	2점	합 6점
	빈칸에 알맞은 수를 구한 경우	2점	
	그림그래프를 완성한 경우	2점	

서술형 완성하기   서술형 풀이를 완성하고 답을 써 보시오.

1 지혜네 학교 3학년 학생들이 태어난 계절을 조사하여 나타낸 표입니다. 빈칸에 알맞은 수는 얼마인지 설명하고, 그림그래프를 완성하시오.

태어난 계절별 학생 수

계절	봄	여름	가을	겨울	합계
학생 수(명)	34	27	15		100

태어난 계절별 학생 수

계절	학생 수
봄	☺ ☺ ☺ ☺☺☺☺
여름	
가을	
겨울	

☺ 10명
☺ 1명

✏️ 겨울에 태어난 학생을 뺀 나머지 학생 수가 ☐+☐+☐=☐(명)이므로 겨울에 태어난 학생 수는 ☐-☐=☐(명)입니다.

1 석기네 학교 3학년의 반별 우유를 먹는 학생 수를 조사하여 나타낸 표입니다. 빈칸에 알맞은 수는 얼마인지 설명하고, 그림그래프를 완성하시오. (6점)

반별 우유를 먹는 학생 수

반	1반	2반	3반	4반	5반	합계
학생 수 (명)	24	27		30	21	119

반별 우유를 먹는 학생 수

반	학생 수
1반	
2반	
3반	
4반	
5반	

🥛 10명
🥛 1명

2 농장별 호박 생산량을 조사하여 나타낸 표입니다. 빈칸에 알맞은 수는 얼마인지 설명하고, 그림그래프를 완성하시오. (6점)

농장별 호박 생산량

농장	신선	향기	쑥쑥	햇살	합계
생산량 (kg)		200	420	170	1150

농장별 호박 생산량

농장	생산량

🥒 100 kg
🥒 10 kg

영수는 사과 생산량이 가장 많은 과수원은 풍년 과수원이라고 하였고, 석기는 샛별 과수원이라고 하였습니다. 누구의 말이 옳은지 쓰고, 그 이유를 설명하시오. (5점)

과수원별 사과 생산량

농장	생산량
풍성	🍎🍎🍎🍎🍎🍎🍎
은빛	🍎🍎🍎🍎
풍년	🍎🍎🍎🍎🍎🍎
샛별	🍎🍎🍎🍎🍎🍎🍎🍎

🍎 100상자
🍎 10상자

서술 길라잡이 100상자를 나타내는 그림이 가장 많은 과수원이 생산량이 가장 많습니다.

✏️ 영수의 말이 옳습니다. 100상자를 나타내는 그림이 가장 많은 과수원은 풍년 과수원이므로 사과 생산량이 가장 많은 과수원은 풍년 과수원입니다. 따라서 영수의 말이 옳습니다.

평가기준	누구의 말이 옳은지 바르게 쓴 경우	2점	합
	이유를 바르게 설명한 경우	3점	5점

서술형 완성하기   서술형 풀이를 완성해 보시오.

1 마을별로 기르고 있는 소의 수를 조사하여 나타낸 그림그래프입니다. 그래프를 보고 알 수 있는 사실을 두 가지 쓰시오.

마을별 소의 수

마을	소의 수
가	🐄🐄🐄🐄🐄🐂🐂🐂
나	🐄🐂🐂🐂
다	🐄🐄🐄🐂🐂
라	🐄🐄🐂🐂🐂🐂🐂🐂

🐄 10마리
🐂 1마리

✏️ • 기르고 있는 소의 수가 가장 많은 마을은 ☐ 마을입니다.

• 기르고 있는 소의 수가 가장 적은 마을은 ☐ 마을입니다.

1 지혜는 자동차 수가 가장 많은 주차장은 나 주차장이라고 하였고, 가영이는 라 주차
장이라고 하였습니다. 누구의 말이 옳은지 쓰고, 그 이유를 설명하시오. (5점)

주차장별 자동차의 수

주차장	자동차의 수
가	
나	
다	
라	

🚗 | 0대
🚗 | 대

2 좋아하는 계절별 학생 수를 조사하여 나타낸 그림그래프입니다. 그래프를 보고 알
수 있는 사실을 3가지 쓰시오. (6점)

좋아하는 계절별 학생 수

계절	학생 수
봄	
여름	
가을	
겨울	

😀 | 0명
😀 | 명

[1~2] 어느 아이스크림 가게의 월별 판매량을 조사하여 나타낸 그림그래프입니다. 물음에 답하시오.

월별 아이스크림 판매량

월	판매량
5월	🍦🍦🍦🍦🍦🍦
6월	🍦🍦🍦🍦🍦
7월	🍦🍦🍦
8월	🍦🍦🍦🍦🍦🍦🍦

🍦 100상자
🍦 10상자

 ① 아이스크림이 가장 적게 팔린 때는 몇 월인지 풀이 과정을 쓰고 답을 구하시오. (4점)

답 _____

 ② 월별 판매량이 6월보다 많은 달을 모두 찾아 쓰려고 합니다. 풀이 과정을 쓰고 답을 구하시오. (4점)

답 _____

 ③ 어느 아파트의 하루에 배달되는 우유의 수를 동별로 조사하여 나타낸 표입니다. 그림그래프로 나타낼 때 우유 수를 나타내는 그림을 몇 가지로 나타내는 것이 좋을지 설명하고 답을 구하시오. (4점)

동별로 배달되는 우유의 수

동	가	나	다	라	합계
우유 수(개)	24	31	17	26	98

답 _____

4 어느 문구점에 있는 구슬의 수를 색깔별로 조사하여 나타낸 표입니다. 표의 빈칸에 알맞은 수는 얼마인지 설명하고, 그림그래프를 완성하시오. (6점)

색깔별 구슬 수

색깔	구슬 수(개)
빨강	140
노랑	180
파랑	170
초록	220
주황	
합계	900

색깔별 구슬 수

색깔	구슬 수
빨강	
노랑	
파랑	
초록	
주황	

⬤ 100개
◦ 10개

5 학생들이 가장 가고 싶어 하는 나라를 조사하여 나타낸 그림그래프입니다. 그래프를 보고 알 수 있는 사실을 3가지 쓰시오. (6점)

가고 싶어 하는 나라별 학생 수

나라	학생 수
미국	☺ ☺ ☺ ☺ ☺
스위스	☺ ☺ ☺ ☺
영국	☺ ☺ ☺ ☺ ☺ ☺ ☺
일본	☺ ☺ ☺ ☺ ☺ ☺

☺ 10명
☺ 1명

숨은 그림 찾기
위험한 스케이트보드

⭐ 숨은 그림 : 숫자 '9', 못, 고래, 숫자 '7', 다리미, 돛단배

Memo

3 학년이 꼭 ✓ . . . . . 알아야 한

수학 서술형

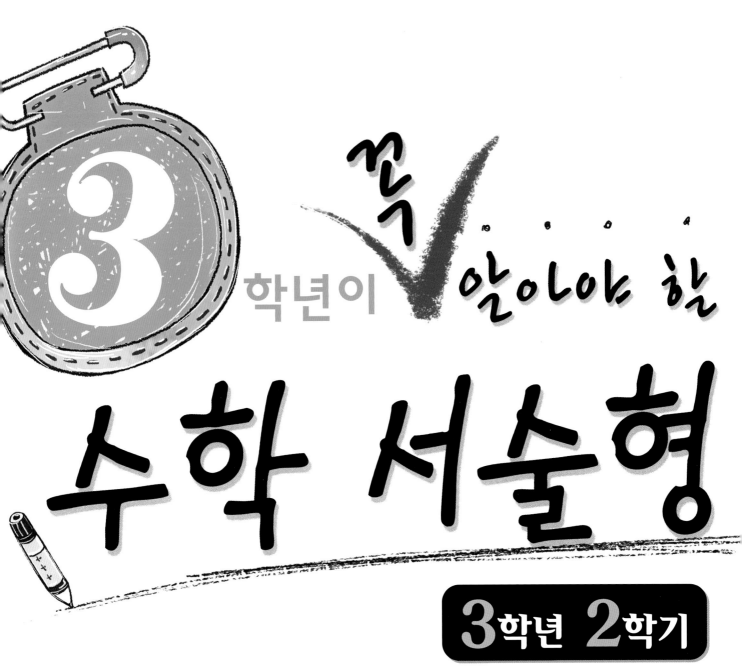

3

학년이 ✓ 꼭 알아야 한

수학 서술형

3학년 2학기

정답과 풀이

(주)에듀왕
www.왕수학.com

정답과 풀이

정답과 풀이

1 곱 셈

1. 곱 셈 (1)

서술형 완성하기   p. 4

> **1** 378, 8, 3024, 3024   **답** 3024개
>
> **2** 35, 40, 1400, 1400   **답** 1400개
>
> **3** 28, 32, 896, 896   **답** 896개

서술형 정복하기   p. 5

1

🖊 하루에 필요한 우유는 785개이고, 일주일은 7일이므로 785개씩 7일 동안 필요한 우유의 수를 곱셈식을 세워 나타내면 785×7=5495(개)입니다.
따라서 우유는 5495개 필요합니다.

답 5495개

평가 기준	(세 자리 수)×(한 자리 수)의 곱셈 식을 바르게 세운 경우	2점	합 4점
	답을 바르게 구한 경우	2점	

2

🖊 50원짜리 동전이 90개이면 얼마인지 곱셈식을 세워 나타내면 50×90=4500(원)입니다.
따라서 예슬이가 모은 돈은 모두 4500원입니다.

답 4500원

평가 기준	(몇십)×(몇십)의 곱셈식을 바르게 세운 경우	2점	합 4점
	답을 바르게 구한 경우	2점	

3

🖊 길이가 55 cm인 끈 34개의 길이를 곱셈식을 세워 나타내면 55×34=1870(cm)입니다.
따라서 리본 끈은 모두 1870 cm 필요합니다.

답 1870 cm

평가 기준	(몇십몇)×(몇십몇)의 곱셈식을 바르 게 세운 경우	2점	합 4점
	답을 바르게 구한 경우	2점	

1. 곱 셈 (2)

서술형 완성하기   p. 6

> **1**
> $$\begin{array}{r} 24 \\ \times\ 32 \\ \hline 48 \\ 720 \\ \hline 768 \end{array}$$ / 30, 720, 일
>
> **2**
> $$\begin{array}{r} 63 \\ \times\ 85 \\ \hline 315 \\ 5040 \\ \hline 5355 \end{array}$$ / 3, 80, 240, 2

서술형 정복하기   p. 7

1

🖊
$$\begin{array}{r} 89 \\ \times\ 18 \\ \hline 712 \\ 890 \\ \hline 1602 \end{array}$$

89×1이 실제로 나타내는 값은 89×10=890이므로 890을 일의 자리부터 왼쪽으로 자리를 맞추어 써야 합니다.

평가 기준	잘못된 이유를 타당하게 쓴 경우	3점	합 5점
	바르게 고친 경우	2점	

2

🖊

올림을 바르게 하여 계산하면 24×9=216, 24×30=720입니다.

평가 기준	잘못된 이유를 타당하게 쓴 경우	3점	합 5점
	바르게 고친 경우	2점	

3

🖉
$$\begin{array}{r} 3\ 4 \\ 4\ 5\ 8 \\ \times\ \quad 6 \\ \hline 2\ 7\ 4\ 8 \end{array}$$

십의 자리의 계산에서 $50 \times 6 = 300$의 3을 올림하지 않았습니다.

평가 기준	잘못된 이유를 타당하게 쓴 경우	3점	합 5점
	바르게 고친 경우	2점	

1. 곱 셈 (3)

서술형 완성하기   p. 8

1 42, 1512, 27, 39, 1053, 1512, 1053, 2565   답 2565개

2 25, 16, 400, 19, 24, 456, 영수, 456, 400, 56   답 영수, 56문제

서술형 정복하기   p. 9

1

🖉 지혜네 가족이 어제는 귤을
$54 \times 27 = 1458$(개) 땄고,
오늘은 $43 \times 30 = 1290$(개) 땄으므로
어제 $1458 - 1290 = 168$(개) 더 많이 땄습니다.

답 어제, 168개

평가 기준	어제 딴 귤의 수를 바르게 구한 경우	2점	합 5점
	오늘 딴 귤의 수를 바르게 구한 경우	2점	
	언제 몇 개 더 많이 땄는지 바르게 구한 경우	1점	

2

🖉 6일 동안 만든 인형은 $148 \times 6 = 888$(개)이고, 24일 동안 만든 인형은
$87 \times 24 = 2088$(개)이므로
30일 동안 만든 인형은 모두
$888 + 2088 = 2976$(개)입니다.

답 2976개

평가 기준	6일 동안 만든 인형의 수를 바르게 구한 경우	2점	합 5점
	24일 동안 만든 인형의 수를 바르게 구한 경우	2점	
	30일 동안 만든 인형의 수를 바르게 구한 경우	1점	

3

🖉 색종이는 $237 \times 7 = 1659$(장) 있고, 도화지는 $328 \times 4 = 1312$(장) 있으므로
색종이가 $1659 - 1312 = 347$(장) 더 많이 있습니다.

답 색종이, 347장

평가 기준	색종이의 수를 바르게 구한 경우	2점	합 5점
	도화지의 수를 바르게 구한 경우	2점	
	어느 것이 몇 장 더 많은지 바르게 구한 경우	1점	

1. 곱 셈 (4)

서술형 완성하기   p. 10

1 58, 82, 82, 58, 24, 58, 24, 58, 1392
답 1392

2 43, 42, 42, 43, 85, 43, 85, 43, 3655
답 3655

3 62, 28, 62, 28, 34, 62, 62, 34, 2108
답 2108

서술형 정복하기   p. 11

1

🖉 (어떤 수)$+9 = 548$,
(어떤 수)$= 548 - 9 = 539$입니다.
따라서 바르게 계산하면
(어떤 수)$\times 9 = 539 \times 9 = 4851$입니다.

답 4851

평가 기준	잘못 계산한 식을 세운 경우	1점	합 5점
	어떤 수를 구한 경우	2점	
	바른 계산식을 세워 답을 구한 경우	2점	

2

🖉 39＋(어떤 수)＝73,
(어떤 수)＝73－39＝34입니다.
따라서 바르게 계산하면
39×(어떤 수)＝39×34＝1326입니다.

답 1326

평가기준	잘못 계산한 식을 세운 경우	1점	합 5점
	어떤 수를 구한 경우	2점	
	바른 계산식을 세워 답을 구한 경우	2점	

3

🖉 81－(어떤 수)＝52,
(어떤 수)＝81－52＝29입니다.
따라서 바르게 계산하면
81×(어떤 수)＝81×29＝2349입니다.

답 2349

평가기준	잘못 계산한 식을 세운 경우	1점	합 5점
	어떤 수를 구한 경우	2점	
	바른 계산식을 세워 답을 구한 경우	2점	

1. 곱셈 (5)

서술형 완성하기 p. 12

1 7, 3900, 7, 7, 4550, 7 답 7

2 8, 1701, 8, 8, 1944, 7 답 7

서술형 정복하기 p. 13

1

🖉 7×□에서 7×3＝21, 7×4＝28이므로
□ 안의 수를 3 또는 4로 예상하고 확인합니다.
73×□0에서 □ 안의 수가 3일 경우
73×30＝2190이고, □ 안의 수가 4일 경우
73×40＝2920이므로 73×□0＞2900
에서 □ 안에 들어갈 수 있는 가장 작은 자연
수는 4입니다.

답 4

평가기준	□ 안의 수를 바르게 예상한 경우	2점	합 6점
	□ 안에 예상한 수를 넣어 확인한 경우	2점	
	답을 바르게 구한 경우	2점	

2

🖉 3×□에서 3×4＝12, 3×5＝15이므로 □
안의 수를 4 또는 5로 예상하고 확인합니다.
38×□0에서 □ 안의 수가 4일 경우
38×40＝1520이고, □ 안의 수가 5일 경우
38×50＝1900이므로 38×□0＜1600
에서 □ 안에 들어갈 수 있는 가장 큰 자연수는
4입니다.

답 4

평가기준	□ 안의 수를 바르게 예상한 경우	2점	합 6점
	□ 안에 예상한 수를 넣어 확인한 경우	2점	
	답을 바르게 구한 경우	2점	

3

🖉 4×□에서 4×4＝16, 4×5＝20이므로
□ 안의 수를 4 또는 5로 예상하고 확인합니다.
475×□에서 □ 안의 수가 4일 경우
475×4＝1900이고, □ 안의 수가 5일 경우
475×5＝2375이므로 475×□＞2100
에서 □ 안에 들어갈 수 있는 가장 작은 자연
수는 5입니다.

답 5

평가기준	□ 안의 수를 바르게 예상한 경우	2점	합 6점
	□ 안에 예상한 수를 넣어 확인한 경우	2점	
	답을 바르게 구한 경우	2점	

1. 곱셈 (6)

서술형 완성하기 p. 14

1 클수록, 5, 54, 4968, 94, 52, 4888,
4968 답 4968

2 작을수록, 3, 5, 36, 57, 2052, 37, 56,
2072, 2052 답 2052

서술형 정복하기 p. 15

1

🖉 두 수의 십의 자리 숫자가 작을수록 곱이 작
아지므로 십의 자리에 1과 3을 놓아 곱셈식
을 만들어 봅니다.

$17 \times 39 = 663$, $19 \times 37 = 703$이므로 가장 작은 곱은 663입니다.

답 663

평가 기준	두 수의 십의 자리에 올 수를 구한 경우	2점	합 6점
	십의 자리에 작은 수를 놓고 곱셈식을 세운 경우	2점	
	가장 작은 곱을 구한 경우	2점	

2

곱해지는 수의 백의 자리 숫자와 곱하는 수인 한 자리 수가 클수록 곱이 커지므로 백의 자리와 한 자리 수에 6과 8을 놓아 곱셈식을 만들어 봅니다.
$832 \times 6 = 4992$, $632 \times 8 = 5056$이므로 가장 큰 곱은 5056입니다.

답 5056

평가 기준	백의 자리와 한 자리 수에 올 수를 구한 경우	2점	합 6점
	곱이 크도록 곱셈식을 세운 경우	2점	
	가장 큰 곱을 구한 경우	2점	

3

곱해지는 수의 백의 자리 숫자와 곱하는 수인 한 자리 수가 작을수록 곱이 작아지므로 백의 자리와 한 자리 수에 2와 5를 놓아 곱셈식을 만들어 봅니다.
$278 \times 5 = 1390$, $578 \times 2 = 1156$이므로 가장 작은 곱은 1156입니다.

답 1156

평가 기준	백의 자리와 한 자리 수에 올 수를 구한 경우	2점	합 6점
	곱이 작도록 곱셈식을 세운 경우	2점	
	가장 작은 곱을 구한 경우	2점	

실전! 서술형
p. 16 ~ 17

1

1시간은 60분이므로 85번씩 60분 동안 뛰는 횟수를 곱셈식을 세워 나타내면
$85 \times 60 = 5100$(번)입니다.
따라서 1시간 동안 5100번을 뜁니다.

답 5100번

평가 기준	(몇십몇)×(몇십)의 곱셈식을 바르게 세운 경우	2점	합 4점
	답을 바르게 구한 경우	2점	

2

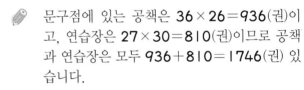

47×8의 계산에서 $7 \times 8 = 56$의 5를 올림하지 않았고, 47×50의 계산에서 $7 \times 50 = 350$의 3을 올림하지 않았습니다.

평가 기준	잘못된 이유를 타당하게 쓴 경우	3점	합 5점
	바르게 고친 경우	2점	

3

문구점에 있는 공책은 $36 \times 26 = 936$(권)이고, 연습장은 $27 \times 30 = 810$(권)이므로 공책과 연습장은 모두 $936 + 810 = 1746$(권) 있습니다.

답 1746권

평가 기준	공책의 수를 바르게 구한 경우	2점	합 5점
	연습장의 수를 바르게 구한 경우	2점	
	공책과 연습장의 수의 합을 바르게 구한 경우	1점	

4

(어떤 수)$+65 = 107$,
(어떤 수)$= 107 - 65 = 42$입니다.
따라서 바르게 계산하면
(어떤 수)$\times 65 = 42 \times 65 = 2730$입니다.

답 2730

평가 기준	잘못 계산한 식을 세운 경우	1점	합 5점
	어떤 수를 구한 경우	2점	
	바른 계산식을 세워 답을 구한 경우	2점	

5

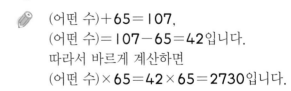

$5 \times \square$에서 $5 \times 5 = 25$, $5 \times 6 = 30$이므로 $\square$ 안의 수를 5 또는 6으로 예상하고 확인합니다.
$58 \times \square 0$에서 $\square$ 안의 수가 5일 경우

58×50=2900이고, □ 안의 수가 6일 경우
58×60=3480이므로 58×□0>3200
에서 □ 안에 들어갈 수 있는 가장 작은 자연
수는 6입니다.

답 6

평가 기준	□ 안의 수를 바르게 예상한 경우	2점	합 6점
	□ 안에 예상한 수를 넣어 확인한 경우	2점	
	답을 바르게 구한 경우	2점	

6

 두 수의 십의 자리 숫자가 클수록 곱이 커지
므로 십의 자리에 6과 9를 놓아 곱셈식을 만
들어 봅니다.
61×95=5795, 65×91=5915이므로
가장 큰 곱은 5915입니다.

답 5915

평가 기준	두 수의 십의 자리에 올 수를 구한 경우	2점	합 6점
	십의 자리에 큰 수를 놓고 곱셈식을 세운 경우	2점	
	가장 큰 곱을 구한 경우	2점	

쉬어 가기   p. 18

---

2 나눗셈

2. 나눗셈 (1)

서술형 완성하기   p. 20

1 15, 18, 16, 20, ㄹ   답 ㄹ

2 16, 12, 15, 13, ㄴ   답 ㄴ

서술형 정복하기   p. 21

1

 ㉠ 50÷2=25
㉡ 96÷3=32
㉢ 150÷5=30
㉣ 200÷8=25
따라서 몫이 가장 큰 것은 ㉡입니다.

답 ㉡

평가 기준	몫을 바르게 구한 경우	2점	합 4점
	몫이 가장 큰 것을 찾은 경우	2점	

2

㉠ 72÷3=24
㉡ 92÷4=23
㉢ 153÷9=17
㉣ 144÷8=18
따라서 몫이 가장 작은 것은 ㉢입니다.

답 ㉢

평가 기준	몫을 바르게 구한 경우	2점	합 4점
	몫이 가장 큰 것을 바르게 찾은 경우	2점	

3

㉠ 98÷7=14
㉡ 85÷5=17
㉢ 132÷6=22
㉣ 120÷8=15
22>17>15>14이므로 몫이 가장 큰 것부
터 차례로 기호를 쓰면 ㉢, ㉡, ㉣, ㉠입니다.

답 ㉢, ㉡, ㉣, ㉠

평가 기준	몫을 바르게 구한 경우	2점	합 5점
	몫이 가장 큰 것부터 차례로 기호를 쓴 경우	3점	

2. 나눗셈 (2)

서술형 **완성하기**   p. 22

1 12, 4, 13, 5, 14, 3, 24, 2, ㉡   **답** ㉡

2 15, 2, 14, 2, 17, 1, 15, 3, ㉢   **답** ㉢

서술형 **정복하기**   p. 23

1

 ㉠ 76÷6=12…4
㉡ 97÷5=19…2
㉢ 213÷4=53…1
㉣ 475÷8=59…3
따라서 나머지가 가장 큰 것은 ㉠입니다.

답 ㉠

평가 기준	나머지를 바르게 구한 경우	2점	합 4점
	나머지가 가장 큰 것을 바르게 찾은 경우	2점	

2

 ㉠ 69÷7=9…6
㉡ 87÷6=14…3
㉢ 496÷5=99…1
㉣ 498÷4=124…2
따라서 나머지가 가장 작은 것은 ㉢입니다.

답 ㉢

평가 기준	나머지를 바르게 구한 경우	2점	합 4점
	나머지가 가장 작은 것부터 바르게 쓴 경우	2점	

3

 ㉠ 74÷7=10…4
㉡ 98÷8=12…2
㉢ 738÷3=246
㉣ 350÷9=38…8
8>4>2>0이므로 나머지가 가장 큰 것부터
차례로 기호를 쓰면 ㉣, ㉠, ㉡, ㉢입니다.

답 ㉣, ㉠, ㉡, ㉢

평가 기준	나머지를 바르게 구한 경우	2점	합 5점
	나머지가 가장 큰 것부터 차례로 기호 를 쓴 경우	3점	

2. 나눗셈 (3)

서술형 **완성하기**   p. 24

1 90, 3, 30, 30   **답** 30권

2 120, 6, 20, 20   **답** 20봉지

서술형 **정복하기**   p. 25

1

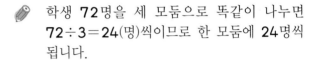 학생 72명을 세 모둠으로 똑같이 나누면
72÷3=24(명)씩이므로 한 모둠에 24명씩
됩니다.

답 24명

평가 기준	나눗셈식을 바르게 세운 경우	2점	합 4점
	답을 바르게 구한 경우	2점	

2

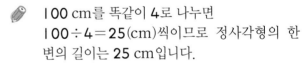 100 cm를 똑같이 4로 나누면
100÷4=25(cm)씩이므로 정사각형의 한
변의 길이는 25 cm입니다.

답 25 cm

평가 기준	나눗셈식을 바르게 세운 경우	2점	합 4점
	답을 바르게 구한 경우	2점	

3

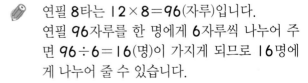 연필 8타는 12×8=96(자루)입니다.
연필 96자루를 한 명에게 6자루씩 나누어 주
면 96÷6=16(명)이 가지게 되므로 16명에
게 나누어 줄 수 있습니다.

답 16명

평가 기준	연필이 모두 몇 자루인지 구한 경우	1점	합 5점
	나눗셈식을 바르게 세운 경우	2점	
	답을 바르게 구한 경우	2점	

2. 나눗셈 (4)

1 7, 6, 3, 6, 3   **답** 6모둠, 3개

2 125, 8, 15, 5, 15, 5   **답** 15개, 5 cm

1

🖉 공 58개를 한 상자에 4개씩 똑같이 나누어 담으면 $58 \div 4 = 14 \cdots 2$이므로 14상자까지 담을 수 있고 남는 공은 2개입니다.

     답 14상자, 2개

평가 기준	나눗셈식을 바르게 세운 경우	2점	합 4점
	몫과 나머지를 바르게 구하여 답을 쓴 경우	2점	

2

🖉 일주일은 7일입니다.
100일을 7일씩 나누면 $100 \div 7 = 14 \cdots 2$이므로 100일은 14주이고 나머지는 2일입니다.

     답 14주, 2일

평가 기준	나눗셈식을 바르게 세운 경우	2점	합 4점
	몫과 나머지를 바르게 구하여 답을 쓴 경우	2점	

3

🖉 색종이 62장을 한 묶음에 5장씩 묶으면 $62 \div 5 = 12 \cdots 2$이므로 솔별이가 가진 색종이는 2장입니다.

     답 2장

평가 기준	나눗셈식을 바르게 세운 경우	2점	합 4점
	나머지를 바르게 구하여 답을 쓴 경우	2점	

2. 나눗셈 (5)

1 4, 4, 32, 3, 2, 32, 8, 32, 8, 8, 4
     답 ㉠=4, ㉡=8, ㉢=3, ㉣=2

2 7, 52, 7, 45, 4, 5, 45, 9, 45, 9, 9, 5
     답 ㉠=5, ㉡=9, ㉢=4, ㉣=5

1

🖉 나머지가 3이므로 ㉢㉣$=24-3=21$에서 ㉢=2, ㉣=1입니다.
㉡×㉠$=21$이므로 $3 \times 7 = 21$에서 ㉡은 3 또는 7이 될 수 있으나 나누는 수는 나머지보다 커야 하므로 ㉡=7, ㉠=3입니다.

     답 ㉠=3, ㉡=7, ㉢=2, ㉣=1

평가 기준	나누어지는 수와 나머지를 이용하여 ㉢과 ㉣을 구한 경우	2점	합 5점
	㉡이 나머지보다 커야 함을 알고 ㉠과 ㉡을 구한 경우	3점	

2

🖉 나머지가 7이므로 ㉢㉣$=47-7=40$에서 ㉢=4, ㉣=0입니다.
㉡×㉠$=40$이므로 $5 \times 8 = 40$에서 ㉡은 5 또는 8이 될 수 있으나 나누는 수는 나머지보다 커야 하므로 ㉡=8, ㉠=5입니다.

     답 ㉠=5, ㉡=8, ㉢=4, ㉣=0

평가 기준	나누어지는 수와 나머지를 이용하여 ㉢과 ㉣을 구한 경우	2점	합 5점
	㉡이 나머지보다 커야 함을 알고 ㉠과 ㉡을 구한 경우	3점	

3

🖉 나머지가 5이므로 ⑩=5이고, ©®=40-5=35에서 ©=3, ®=5입니다. ⓒ×⑦=35이므로 5×7=35에서 ⓒ은 5 또는 7이 될 수 있으나 나누는 수는 나머지보다 커야 하므로 ⓒ=7, ⑦=5입니다.

답 ⑦=5, ⓒ=7, ©=3, ®=5, ⑩=5

⑩을 구한 경우	1점	
나누어지는 수와 나머지를 이용하여 ©과 ®을 구한 경우	2점	합 6점
ⓒ이 나머지보다 커야 함을 알고 ⑦과 ⓒ을 구한 경우	3점	

평가기준

2. 나눗셈 (6)

서술형 완성하기   p. 30

1 4, 72, 72, 4, 18, 4, 18, 4, 4, 2, 4, 2
답 몫 : 4, 나머지 : 2

2 5, 117, 117, 5, 112, 5, 112, 5, 22, 2
답 몫 : 22, 나머지 : 2

서술형 정복하기   p. 31

1

🖉 (어떤 수)×6=90, (어떤 수)=90÷6=15 입니다.
따라서 바르게 계산하면
(어떤 수)÷6=15÷6=2 … 3이므로
몫은 2이고, 나머지는 3입니다.

답 몫 : 2, 나머지 : 3

잘못 계산한 식을 세운 경우	1점	
어떤 수를 구한 경우	2점	합 5점
바른 계산식을 세워 몫과 나머지를 구한 경우	2점	

평가기준

2

🖉 (어떤 수)-8=84, (어떤 수)=84+8=92 입니다.
따라서 바르게 계산하면
(어떤 수)÷8=92÷8=11 … 4이므로
몫은 11이고, 나머지는 4입니다.

답 몫 : 11, 나머지 : 4

잘못 계산한 식을 세운 경우	1점	
어떤 수를 구한 경우	2점	합 5점
바른 계산식을 세워 몫과 나머지를 구한 경우	2점	

평가기준

3

🖉 (어떤 수)÷8=14, (어떤 수)=8×14=112 입니다.
따라서 바르게 계산하면
(어떤 수)÷3=112÷3=37 … 1이므로
몫은 37이고, 나머지는 1입니다.

답 몫 : 37, 나머지 : 1

잘못 계산한 식을 세운 경우	1점	
어떤 수를 구한 경우	2점	합 5점
바른 계산식을 세워 몫과 나머지를 구한 경우	2점	

평가기준

실전! 서술형   p. 32 ~ 33

1

🖉 ⑦ 88÷2=44
ⓒ 96÷8=12
© 288÷8=36
® 196÷7=28
따라서 몫이 가장 큰 것은 ⑦입니다.

답 ⑦

몫을 바르게 구한 경우	2점	합
몫이 가장 큰 것을 바르게 찾은 경우	2점	4점

평가기준

2

✏️ ㉠ 54÷7=7…5
㉡ 75÷4=18…3
㉢ 187÷9=20…7
㉣ 214÷8=26…6
따라서 나머지가 가장 작은 것은 ㉡입니다.

답 ㉡

평가 기준	나머지를 바르게 구한 경우	2점	합 4점
	나머지가 가장 작은 것을 바르게 찾은 경우	2점	

3

✏️ 학생 56명을 4명씩 모둠을 만들면
56÷4=14(모둠)이 됩니다.

답 14모둠

평가 기준	나눗셈식을 바르게 세운 경우	2점	합
	답을 바르게 구한 경우	2점	4점

4

✏️ 배 100개를 바구니에 8개씩 똑같이 나누어
담으면 100÷8=12…4이므로 이웃집에
준 배는 4개입니다.

답 4개

평가 기준	나눗셈식을 바르게 세운 경우	2점	합
	나머지를 바르게 구하여 답을 쓴 경우	2점	4점

5

✏️ 나머지가 7이므로 ㉤=7이고,
㉢㉣=55-7=48에서 ㉢=4, ㉣=8입니다.
㉡×㉠=48이므로 6×8=48에서 ㉡은 6
또는 8이 될 수 있으나 나누는 수는 나머지보
다 커야 하므로 ㉡=8, ㉠=6입니다.

답 ㉠=6, ㉡=8, ㉢=4, ㉣=8, ㉤=7

평가 기준	㉤을 구한 경우	1점	합 6점
	나누어지는 수와 나머지를 이용하여 ㉢과 ㉣을 구한 경우	2점	
	㉡이 나머지보다 커야 함을 알고 ㉠과 ㉡을 구한 경우	3점	

6

✏️ (어떤 수)×5=125, (어떤 수)=125÷5=25
입니다.
따라서 바르게 계산하면
(어떤 수)÷5=25÷5=5이므로
몫은 5입니다.

답 5

평가 기준	잘못 계산한 식을 세운 경우	1점	합 5점
	어떤 수를 구한 경우	2점	
	바른 계산식을 세워 몫을 구한 경우	2점	

쉬어 가기 p. 34

3 원

3. 원 (1)

서술형 완성하기   p. 36

1 10, 2, 10, 2, 5   답 5 cm

2 4, 2, 4, 2, 8   답 8 cm

서술형 정복하기   p. 37

1

✎ 작은 원의 지름은 큰 원의 반지름과 같습니다. 큰 원의 지름이 12 cm이므로
(작은 원의 지름)
=(큰 원의 반지름)
=(큰 원의 지름)÷2
=12÷2=6(cm)입니다.

답 6 cm

평가 기준	작은 원의 지름이 큰 원의 반지름과 같음을 아는 경우	2점	합 4점
	작은 원의 지름을 구한 경우	2점	

2

✎ 선분 ㄱㄴ의 길이는 원의 지름과 같습니다. 원의 반지름이 2 cm이므로
(선분 ㄱㄴ의 길이)
=(원의 지름)=(원의 반지름)×2
=2×2=4(cm)입니다.

답 4 cm

평가 기준	선분 ㄱㄴ의 길이가 원의 지름과 같음을 아는 경우	2점	합 4점
	선분 ㄱㄴ의 길이를 구한 경우	2점	

3

✎ 가장 큰 원의 반지름이 8 cm이므로 중간 크기 원의 지름은 8 cm이고,
(중간 크기 원의 반지름)=(중간 크기 원의 지름)÷2=8÷2=4(cm)입니다.

중간 크기 원의 반지름이 4 cm이므로 가장 작은 원의 지름은 4 cm이고,
(가장 작은 원의 반지름)
=(가장 작은 원의 지름)÷2
=4÷2=2(cm)입니다.
따라서 (선분 ㄱㄷ의 길이)=(중간 크기 원의 반지름)+(가장 작은 원의 반지름)
=4+2=6(cm)입니다.

답 6 cm

평가 기준	중간 크기 원의 반지름을 구한 경우	2점	합 6점
	가장 작은 원의 반지름을 구한 경우	2점	
	선분 ㄱㄷ의 길이를 구한 경우	2점	

3. 원 (2)

서술형 완성하기   p. 38

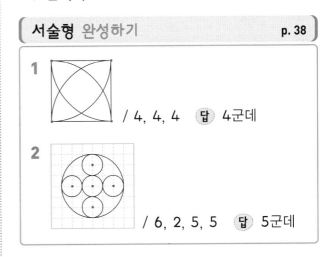

1   / 4, 4, 4   답 4군데

2   / 6, 2, 5, 5   답 5군데

서술형 정복하기   p. 39

1

✎

모양을 그리려면 원을 4개 그려야 하므로 원의 중심은 모두 4개입니다.
따라서 컴퍼스의 침을 꽂아야 할 곳은 4군데입니다.

답 4군데

평가 기준	원을 몇 개 그려야 하는지 아는 경우	2점	합 4점
	답을 구한 경우	2점	

정답과 풀이

2

모양을 그리려면 원을 **3**개 그려야 합니다. 이때, 중심이 같은 원이 **2**개 있으므로 원의 중심은 모두 **2**개입니다.
따라서 컴퍼스의 침을 꽂아야 할 곳은 **2**군데입니다.

답 2군데

평가 기준	원을 몇 개 그려야 하는지 아는 경우	2점	합 4점
	중심이 같은 원을 생각하여 답을 구한 경우	2점	

3

모양을 그리려면 원을 **4**개 그려야 합니다. 이때, 중심이 같은 원이 **2**개 있으므로 원의 중심은 모두 **3**개입니다.
따라서 컴퍼스의 침을 꽂아야 할 곳은 **3**군데입니다.

답 3군데

평가 기준	원을 몇 개 그려야 하는지 아는 경우	2점	합 4점
	중심이 같은 원을 생각하여 답을 구한 경우	2점	

3. 원 (3)

서술형 **완성하기**   p. 40

1 7, 2, 3, 3, 7, 21   **답** 21 cm

2 4, 5, 5, 4, 20, 20, 80   **답** 80 cm

서술형 **정복하기**   p. 41

1

선분 ㄱㄴ의 길이는 원의 반지름의 **8**배입니다. 원의 반지름이 **6** cm이므로
선분 ㄱㄴ의 길이는 **6×8=48**(cm)입니다.

답 48 cm

평가 기준	선분 ㄱㄴ의 길이가 원의 반지름의 8배임을 아는 경우	2점	합 4점
	선분 ㄱㄴ의 길이를 구한 경우	2점	

2

선분 ㄱㅅ의 길이는 원의 반지름의 **6**배입니다. 원의 지름이 **8** cm이므로 원의 반지름은 **8÷2=4**(cm)이고, 선분 ㄱㅅ의 길이는 **4×6=24**(cm)입니다.

답 24 cm

평가 기준	원의 반지름을 구한 경우	2점	합 4점
	선분 ㄱㅅ의 길이를 구한 경우	2점	

3

직사각형의 가로는 원의 반지름의 **4**배이고, 세로는 원의 반지름의 **2**배입니다. 원의 반지름이 **4** cm이므로 직사각형의 가로는 **4×4=16**(cm)이고, 세로는 **4×2=8**(cm)입니다.
따라서 직사각형의 네 변의 길이의 합은 **16+8+16+8=48**(cm)입니다.

답 48 cm

평가 기준	직사각형의 가로를 구한 경우	2점	합 6점
	직사각형의 세로를 구한 경우	2점	
	직사각형의 네 변의 길이의 합을 구한 경우	2점	

3. 원 (4)

서술형 **완성하기**   p. 42

1 6, 6, 6, 4   **답** 4 cm

2 6, 6, 30, 6, 5   **답** 5 cm

서술형 정복하기　　　　　　　p. 43

1

🖋 큰 원의 지름은 작은 원의 반지름의 **4**배이므로
(작은 원의 반지름)
=(큰 원의 지름)÷**4**
=**32**÷**4**=**8**(cm)입니다.

답 8 cm

평가 기준	큰 원의 지름이 작은 원의 반지름의 **4**배임을 아는 경우	2점	합 4점
	작은 원의 반지름을 구한 경우	2점	

2

🖋 정사각형의 네 변의 길이의 합은 원의 반지름의 **8**배이므로
(원의 반지름)
=(정사각형의 네 변의 길이의 합)÷**8**
=**32**÷**8**=**4**(cm)입니다.

답 4 cm

평가 기준	정사각형의 네 변의 길이의 합이 원 의 반지름의 **8**배임을 아는 경우	3점	합 5점
	원의 반지름을 구한 경우	2점	

3

🖋 직사각형의 가로는 원의 지름의 **3**배이고, 세로는 원의 지름과 같으므로 직사각형의 네 변의 길이의 합은 원의 지름의 **8**배입니다.
(원의 지름)
=(직사각형의 네 변의 길이의 합)÷**8**
=**40**÷**8**=**5**(cm)

답 5 cm

평가 기준	직사각형의 가로와 세로가 각각 원 의 지름의 몇 배인지 아는 경우	2점	합 6점
	직사각형의 네 변의 길이의 합이 원 의 지름의 **8**배임을 아는 경우	2점	
	원의 지름을 구한 경우	2점	

실전! 서술형　　　　　　　　p. 44 ~ 45

1

🖋 큰 원의 반지름은 작은 원의 지름과 같습니다. 작은 원의 반지름이 **7** cm이므로

(큰 원의 반지름)=(작은 원의 지름)=(작은 원의 반지름)×**2**=**7**×**2**=**14**(cm)입니다.

답 14 cm

평가 기준	큰 원의 반지름이 작은 원의 지름과 같음을 아는 경우	2점	합 4점
	큰 원의 반지름을 구한 경우	2점	

2

🖋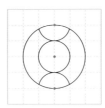

모양을 그리려면 원을 **4**개 그려야 합니다. 이때, 중심이 같은 원이 **2**개 있으므로 원의 중심은 모두 **3**개입니다.
따라서 컴퍼스의 침을 꽂아야 할 곳은 **3**군데입니다.

답 3군데

평가 기준	원을 몇 개 그려야 하는지 아는 경우	2점	합 4점
	중심이 같은 원을 생각하여 답을 구 한 경우	2점	

3

🖋 선분 ㄱㅂ의 길이는 원의 반지름의 **6**배입니다. 원의 반지름이 **5** cm이므로 선분 ㄱㅂ의 길이는 **5**×**6**=**30**(cm)입니다.

답 30 cm

평가 기준	선분 ㄱㅂ의 길이가 원의 반지름의 **6**배임을 아는 경우	2점	합 4점
	선분 ㄱㅂ의 길이를 구한 경우	2점	

4

🖋 직사각형의 가로는 원의 반지름의 **4**배이고, 세로는 원의 반지름의 **2**배입니다.
원의 반지름이 **3** cm이므로 직사각형의 가로는 **3**×**4**=**12**(cm)이고, 세로는 **3**×**2**=**6**(cm)입니다.
따라서 직사각형의 네 변의 길이의 합은
12+**6**+**12**+**6**=**36**(cm)입니다.

답 36 cm

평가 기준	직사각형의 가로를 구한 경우	2점	합 6점
	직사각형의 세로를 구한 경우	2점	
	직사각형의 네 변의 길이의 합을 구한 경우	2점	

5

✏️ 사각형의 네 변의 길이의 합은 원의 반지름의 4배이므로
(원의 반지름)=(사각형의 네 변의 길이의 합)÷4
=36÷4=9(cm)입니다.

답 9 cm

평가 기준	사각형의 네 변의 길이의 합이 원의 반지름의 4배임을 아는 경우	3점	합 5점
	원의 반지름을 구한 경우	2점	

6

✏️ 정사각형의 한 변의 길이는 원의 지름의 2배와 같으므로 정사각형의 네 변의 길이의 합은 원의 지름의 8배입니다.
(원의 지름)=(정사각형의 네 변의 길이의 합)÷8
=24÷8=3(cm)

답 3 cm

평가 기준	정사각형의 네 변의 길이의 합이 원의 지름의 8배임을 아는 경우	3점	합 5점
	원의 지름을 구한 경우	2점	

쉬어 가기 p. 46

---

4 분 수

4. 분 수 (1)

서술형 완성하기 p. 48

1 2, 2, 4, $\frac{4}{6}$ 답 $\frac{4}{6}$

2 9, 5, 4, $\frac{4}{9}$ 답 $\frac{4}{9}$

서술형 정복하기 p. 49

1

✏️ (남은 사과 조각 수)=7-3=4(조각)
전체 조각 수는 7조각이므로 남은 사과 조각은 전체의 $\frac{4}{7}$입니다.

답 $\frac{4}{7}$

평가 기준	남은 사과 조각 수를 구한 경우	2점	합 4점
	남은 사과 조각 수를 분수로 나타낸 경우	2점	

2

✏️ 빵은 똑같이 8칸으로 나누어져 있고 그중에서 바닐라 크림을 바른 부분은 3칸입니다.
따라서 바닐라 크림을 바른 부분은 전체의 $\frac{3}{8}$입니다.

답 $\frac{3}{8}$

평가 기준	바닐라 크림을 바른 칸의 수를 구한 경우	2점	합 4점
	바닐라 크림을 바른 부분을 분수로 나타낸 경우	2점	

3

✏️ 지혜네 반은 땅을 똑같이 4로 나눈 것 중의 3에 꽃을 심었으므로 전체의 $\frac{3}{4}$이고,
웅이네 반도 땅을 똑같이 4로 나눈 것 중의 3에 꽃을 심었으므로 전체의 $\frac{3}{4}$입니다.

따라서 두 반이 꽃을 심은 땅의 크기는 같습니다.

답 같습니다.

평가 기준	두 반의 꽃을 심은 땅의 크기를 각각 구한 경우	2점	합 4점
	이유를 바르게 설명한 경우	2점	

4. 분 수 (2)

서술형 완성하기　　　　　　　　p. 50

1 6, 6, 6, 5, 30, 30, 30, 2, 32

답 32권

2 6, 7, 2, 14, 14, 6, 8　　답 동생, 8개

서술형 정복하기　　　　　　　　p. 51

1

✏ 세로의 길이는 가로의 길이 35 cm를 똑같이 5묶음으로 나눈 것 중의 4묶음이므로 $7 \times 4 = 28$(cm)입니다.
따라서 직사각형의 네 변의 길이의 합은 $35 + 28 + 35 + 28 = 126$(cm)입니다.

답 126 cm

평가 기준	직사각형의 세로의 길이를 구한 경우	2점	합 4점
	직사각형의 네 변의 길이의 합을 구한 경우	2점	

2

✏ 친구에게 준 사탕은 60개를 똑같이 4묶음으로 나눈 것 중의 한 묶음이므로 15개입니다.
즉, 친구에게 주고 남은 사탕은 $60 - 15 = 45$(개)입니다.
동생에게 준 사탕은 45개를 똑같이 3묶음으로 나눈 것 중의 2묶음이므로 $15 \times 2 = 30$(개)입니다.
따라서 남은 사탕은 $45 - 30 = 15$(개)입니다.

답 15개

평가 기준	친구에게 주고 남은 사탕의 수를 구한 경우	2점	합 5점
	동생에게 주고 남은 사탕의 수를 구한 경우	3점	

3

✏ 할머니께 드린 사과는 70개를 똑같이 5묶음으로 나눈 것 중의 한 묶음이므로 14개입니다. 즉, 할머니께 드리고 남은 사과는 $70 - 14 = 56$(개)입니다.
이웃집에 준 사과는 56개를 똑같이 7묶음으로 나눈 것 중의 한 묶음이므로 8개입니다.
즉, 이웃집에 주고 남은 사과는 $56 - 8 = 48$(개)입니다.
웅이네 가족이 먹은 사과는 48개를 똑같이 4묶음으로 나눈 것 중의 3묶음이므로 $12 \times 3 = 36$(개)입니다.
따라서 웅이네 집에 남은 사과는 $48 - 36 = 12$(개)입니다.

답 12개

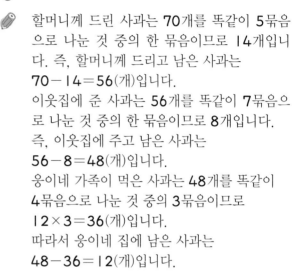

평가 기준	할머니께 드리고 남은 사과의 수를 구한 경우	2점	합 6점
	이웃집에 주고 남은 사과의 수를 구한 경우	2점	
	먹고 남은 사과의 수를 구한 경우	2점	

4. 분 수 (3)

서술형 완성하기　　　　　　　　p. 52

1 5, 5, 5　　답 5

2 4, 1, 2, 3　　답 $\dfrac{1}{4}$, $\dfrac{2}{4}$, $\dfrac{3}{4}$

정답과 풀이

서술형 정복하기   **p. 53**

1

🖉 $\dfrac{\Box}{6}$ 가 진분수이려면 $\Box < 6$이어야 합니다.

따라서 $\Box$ 안에 들어갈 수 있는 자연수는
1, 2, 3, 4, 5로 모두 5개입니다.

    답 5개

평가 기준	$\Box$ 안에 들어갈 수 있는 자연수의 조 건을 설명한 경우	2점	합 4점
	$\Box$ 안에 들어갈 수 있는 자연수의 개 수를 구한 경우	2점	

2

🖉 $\dfrac{8}{\Box}$ 이 가분수이려면 $\Box = 8$이거나 $\Box < 8$이어
야 합니다.

따라서 분모가 될 수 있는 1보다 큰 숫자는
2, 3, 4, 5, 6, 7, 8로 모두 7개입니다.

    답 7개

평가 기준	분모가 될 수 있는 숫자의 조건을 설 명한 경우	2점	합 5점
	분모가 될 수 있는 숫자의 개수를 구 한 경우	3점	

3

🖉 자연수 부분이 3이고 분모가 7인 대분수를
$3\dfrac{\Box}{7}$ 라고 하면 $\dfrac{\Box}{7}$ 는 진분수이어야 하므로
$\Box$ 안에 들어갈 수 있는 수는 7보다 작은 1,
2, 3, 4, 5, 6입니다.

따라서 자연수 부분이 3이고 분모가 7인 대
분수는 $3\dfrac{1}{7}$, $3\dfrac{2}{7}$, $3\dfrac{3}{7}$, $3\dfrac{4}{7}$, $3\dfrac{5}{7}$, $3\dfrac{6}{7}$으로
모두 6개입니다.

    답 6개

평가 기준	분자가 될 수 있는 수의 조건을 설명 한 경우	2점	합 5점
	자연수 부분이 3이고 분모가 7인 대 분수의 개수를 구한 경우	3점	

4. 분 수 (4)

서술형 완성하기   **p. 54**

1 6, 6, 7, $\dfrac{6}{7}$ **답** $\dfrac{6}{7}$

2 7, 7, 4, $\dfrac{7}{4}$ **답** $\dfrac{7}{4}$

서술형 정복하기   **p. 55**

1

🖉 합이 8인 두 수는 (1, 7), (2, 6), (3, 5),
(4, 4)입니다.
이 중에서 차가 2인 두 수는 3과 5이므로 구
하는 진분수의 분자는 3이고 분모는 5입니다.

따라서 '나' 는 $\dfrac{3}{5}$입니다.

평가 기준	조건에 알맞은 두 수를 구한 경우	2점	합 5점
	'나' 를 구한 경우	3점	

2

🖉 합이 15인 두 수는 (1, 14), (2, 13), (3,
12), (4, 11), (5, 10), (6, 9), (7, 8)입
니다.
이 중에서 차가 11인 두 수는 2와 13이므로
구하는 가분수의 분자는 13이고 분모는 2입
니다.

따라서 구하는 가분수는 $\dfrac{13}{2}$입니다.

    답 $\dfrac{13}{2}$

평가 기준	조건에 알맞은 두 수를 구한 경우	2점	합 5점
	조건을 만족하는 가분수를 구한 경우	3점	

3

🖉 합이 17인 두 수는 (1, 16), (2, 15), (3,
14), (4, 13), (5, 12), (6, 11), (7,
10), (8, 9)입니다.
이 중에서 차가 9인 두 수는 4와 13이므로
구하는 진분수의 분자는 4이고 분모는 13입
니다.

따라서 구하는 진분수는 $\dfrac{4}{13}$입니다.

답 $\dfrac{4}{13}$

평가 기준	조건에 알맞은 두 수를 구한 경우	2점	합
	조건을 만족하는 진분수를 구한 경우	3점	5점

4. 분 수 (5)

서술형 완성하기
p. 56

1 2, 3, 11, 11

서술형 정복하기
p. 57

1

🖉 색칠한 부분은 $\dfrac{1}{3}$이 8개이므로 $\dfrac{8}{3}$입니다.

또, 색칠한 부분은 완전히 칠해진 삼각형 2개와 $\dfrac{1}{3}$이 2개이므로 $2\dfrac{2}{3}$로 나타낼 수 있습니다.

따라서 $\dfrac{8}{3}=2\dfrac{2}{3}$입니다.

평가 기준	색칠한 부분을 가분수로 설명한 경우	2점	합
	색칠한 부분을 대분수로 설명한 경우	2점	4점

2

🖉 $\dfrac{9}{5}$를 그림으로 나타내면 오른쪽과 같습니다.

색칠한 부분은 완전히 칠해진 원 1개와 $\dfrac{1}{5}$이 4개이므로 대분수로 나타내면 $1\dfrac{4}{5}$입니다.

따라서 $\dfrac{9}{5}=1\dfrac{4}{5}$입니다.

평가 기준	$\dfrac{9}{5}$를 알맞은 그림으로 나타낸 경우	2점	
	그림을 보고 $\dfrac{9}{5}=1\dfrac{4}{5}$인 이유를 바르게 설명한 경우	3점	합 5점

3

🖉 $2\dfrac{5}{8}$를 그림으로 나타내고, 완전히 칠해진 사각형 2개를 똑같이 여덟으로 나누면 오른쪽과 같습니다.

색칠한 부분은 $\dfrac{1}{8}$이 21개이므로 가분수로 나타내면 $\dfrac{21}{8}$입니다. 따라서 $2\dfrac{5}{8}=\dfrac{21}{8}$입니다.

평가 기준	$2\dfrac{5}{8}$를 알맞은 그림으로 나타낸 경우	2점	
	그림을 보고 $2\dfrac{5}{8}=\dfrac{21}{8}$인 이유를 바르게 설명한 경우	3점	합 5점

4. 분 수 (6)

서술형 완성하기
p. 58

1 $\dfrac{7}{9}$, $\dfrac{7}{9}$, $\dfrac{43}{9}$　답 $\dfrac{43}{9}$

2 4, 4, $\dfrac{39}{7}$　답 $\dfrac{39}{7}$

서술형 정복하기
p. 59

1

🖉 가장 큰 대분수는 자연수 부분에 가장 큰 숫자인 9를 놓고 나머지 2와 3으로 진분수를 만들면 되므로 $9\dfrac{2}{3}$입니다.

따라서 $9\dfrac{2}{3}$를 가분수로 나타내면 $\dfrac{29}{3}$입니다.

답 $\dfrac{29}{3}$

평가 기준	가장 큰 대분수를 만든 경우	3점	합
	만든 대분수를 가분수로 나타낸 경우	3점	6점

2

🖉 가장 작은 대분수는 자연수 부분에 가장 작은 숫자인 1을 놓고 나머지 6과 5로 진분수를 만들면 되므로 $1\dfrac{5}{6}$입니다.

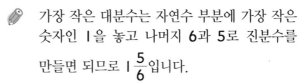

정답과 풀이

따라서 $1\dfrac{5}{6}$를 가분수로 나타내면 $\dfrac{11}{6}$입니다.

$$\text{답}\quad \dfrac{11}{6}$$

평가 기준	가장 작은 대분수를 만든 경우	3점	합 6점
	만든 대분수를 가분수로 나타낸 경우	3점	

3

🖊 분모가 4인 가장 큰 대분수는 자연수 부분에 가장 큰 숫자인 9를 놓고 나머지 숫자로 가장 큰 진분수를 만들면 되므로 $9\dfrac{3}{4}$입니다.

따라서 $9\dfrac{3}{4}$을 가분수로 나타내면 $\dfrac{39}{4}$입니다.

$$\text{답}\quad \dfrac{39}{4}$$

평가 기준	분모가 4인 가장 큰 대분수를 만든 경우	3점	합 6점
	만든 대분수를 가분수로 나타낸 경우	3점	

4. 분 수 (7)

서술형 완성하기   p. 60

1 3, 3   답 $1\dfrac{3}{5}$ m

서술형 정복하기   p. 61

1

🖊 $2\dfrac{1}{12}$을 가분수로 나타내면

$$2\dfrac{1}{12}=\dfrac{24}{12}+\dfrac{1}{12}=\dfrac{25}{12}\text{입니다.}$$

$\dfrac{19}{12}<\dfrac{\square}{12}<\dfrac{25}{12}$에서 $19<\square<25$이므로

$\square$ 안에 들어갈 수 있는 수는 20, 21, 22, 23, 24입니다.

따라서 $\dfrac{19}{12}$보다 크고 $\dfrac{25}{12}$보다 작은 가분수는

$\dfrac{20}{12},\ \dfrac{21}{12},\ \dfrac{22}{12},\ \dfrac{23}{12},\ \dfrac{24}{12}$로 모두 5개입니다.

$$\text{답}\quad 5\text{개}$$

평가 기준	$\square$ 안에 들어갈 수 있는 수를 설명한 경우	3점	합 6점
	$\dfrac{19}{12}$보다 크고 $\dfrac{25}{12}$보다 작은 가분수의 개수를 구한 경우	3점	

2

🖊 $\dfrac{53}{20}$을 대분수로 나타내면

$$\dfrac{53}{20}=\dfrac{40}{20}+\dfrac{13}{20}=2\dfrac{13}{20}\text{입니다.}$$

$2\dfrac{9}{20}<2\dfrac{\square}{20}<2\dfrac{13}{20}$에서 $9<\square<13$이므로

$\square$ 안에 들어갈 수 있는 수는 10, 11, 12입니다.

따라서 예슬이가 사용할 리본의 길이를 대분수로 나타내면 $2\dfrac{10}{20}$ m, $2\dfrac{11}{20}$ m, $2\dfrac{12}{20}$ m가 될 수 있습니다.

$$\text{답}\quad 2\dfrac{10}{20}\ \text{m},\ 2\dfrac{11}{20}\ \text{m},\ 2\dfrac{12}{20}\ \text{m}$$

평가 기준	$\square$ 안에 들어갈 수 있는 수를 설명한 경우	3점	합 6점
	예슬이가 사용할 리본의 길이가 될 수 있는 대분수를 모두 구한 경우	3점	

실전! 서술형   p. 62 ~ 63

1

🖊 한별이에게 준 공책은 72권을 똑같이 4묶음으로 나눈 것 중의 한 묶음이므로 18권입니다.
한솔이에게 준 공책은 72권을 똑같이 8묶음으로 나눈 것 중의 3묶음인 $9\times3=27$(권)보다 8권 적은 $27-8=19$(권)입니다.
따라서 한솔이가 공책을 $19-18=1$(권) 더 많이 받았습니다.

$$\text{답}\quad \text{한솔, 1권}$$

평가 기준	한별이와 한솔이가 받은 공책의 수를 각각 구한 경우	3점	합 5점
	누가 몇 권 더 받았는지 구한 경우	2점	

2

🖊 $\dfrac{\blacksquare}{7}$가 진분수이려면 $\blacksquare<7$이어야 합니다.

따라서 ■ 안에 들어갈 수 있는 자연수는 1, 2, 3, 4, 5, 6으로 모두 6개입니다.

답 6개

평가 기준	■ 안에 들어갈 수 있는 자연수의 조건을 설명한 경우	2점	합 4점
	■ 안에 들어갈 수 있는 자연수의 개수를 구한 경우	2점	

3

합이 9인 두 수는 (1, 8), (2, 7), (3, 6), (4, 5)입니다. 이 중에서 차가 5인 두 수는 2와 7이므로 구하는 진분수는 분자는 2이고 분모는 7입니다.

따라서 구하는 진분수는 $\frac{2}{7}$입니다.　**답** $\frac{2}{7}$

평가 기준	조건에 알맞은 두 수를 구한 경우	2점	합 5점
	조건을 만족하는 진분수를 구한 경우	3점	

4

$\frac{11}{9}$을 그림으로 나 타내면 오른쪽과 같 습니다.

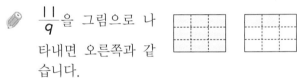

색칠한 부분은 완전히 칠해진 사각형 1개와 $\frac{1}{9}$이 2개이므로 대분수로 나타내면 $1\frac{2}{9}$입니다.

따라서 $\frac{11}{9}=1\frac{2}{9}$입니다.

평가 기준	$\frac{11}{9}$을 알맞은 그림으로 나타낸 경우	2점	합 5점
	그림을 보고 $\frac{11}{9}=1\frac{2}{9}$인 이유를 바르게 설명한 경우	3점	

5

가장 큰 대분수는 자연수 부분에 가장 큰 숫자인 7을 놓고 나머지 3과 5로 진분수를 만들면 되므로 $7\frac{3}{5}$입니다.

따라서 $7\frac{3}{5}$을 가분수로 나타내면 $\frac{38}{5}$입니다.

답 $\frac{38}{5}$

평가 기준	가장 큰 대분수를 만든 경우	3점	합 6점
	만든 대분수를 가분수로 나타낸 경우	3점	

6

$1\frac{9}{10}$를 가분수로 고치면

$1\frac{9}{10}=\frac{10}{10}+\frac{9}{10}=\frac{19}{10}$입니다.

$\frac{14}{10}<\frac{\square}{10}<\frac{19}{10}$에서 $14<\square<19$이므로 $\square$ 안에 들어갈 수 있는 수는 15, 16, 17, 18입니다.

따라서 예슬이가 가지고 있는 끈의 길이를 가분수로 나타내면 $\frac{15}{10}$ m, $\frac{16}{10}$ m, $\frac{17}{10}$ m, $\frac{18}{10}$ m가 될 수 있습니다.

답 $\frac{15}{10}$ m, $\frac{16}{10}$ m, $\frac{17}{10}$ m, $\frac{18}{10}$ m

평가 기준	$\square$ 안에 들어갈 수 있는 수를 설명한 경우	3점	합 6점
	예슬이가 가지고 있는 끈의 길이가 될 수 있는 가분수를 모두 구한 경우	3점	

쉬어 가기　p. 64

정답과 풀이

5 들이와 무게

5. 들이와 무게 (1)

서술형 완성하기   p. 66

1 많을수록, 많은, 나   (답) 나

2 많습니다, 적은, 다   (답) 다

서술형 정복하기   p. 67

1

🖉 그릇에 옮겨 담은 물의 높이를 비교하여 물의 높이가 높을수록 들이가 더 많습니다.
따라서 물의 높이가 가장 높은 순서대로 쓰면 가, 다, 나입니다.

(답) 가, 다, 나

평가 기준	바르게 설명한 경우	2점	합
	답을 바르게 구한 경우	2점	4점

2

🖉 모양과 크기가 같은 컵으로 부은 횟수가 더 많을수록 들이가 더 많습니다. 가 수조에는 7번, 나 수조에는 5번 부었으므로 부은 횟수가 더 많은 가 수조의 들이가 더 많습니다.

(답) 가

평가 기준	바르게 설명한 경우	2점	합
	답을 바르게 구한 경우	2점	4점

3

🖉 부은 횟수가 적을수록 컵의 들이가 더 많습니다.
따라서 부은 횟수가 더 적은 가 컵의 들이가 더 많습니다.

(답) 가

평가 기준	바르게 설명한 경우	2점	합
	답을 바르게 구한 경우	2점	4점

5. 들이와 무게 (2)

서술형 완성하기   p. 68

1 1, 690, 1, 690, 1, 690, <, 영수
   (답) 영수

2 5600, 5600, 5600, >, 희망   (답) 희망

서술형 정복하기   p. 69

1

🖉 3 L 40 mL=3040 mL이고,
3040 mL와 3200 mL의 크기를 비교하면
3040 mL<3200 mL입니다.
따라서 양동이에 물이 더 많이 들어 있습니다.

(답) 양동이

평가 기준	단위를 통일한 경우	1점	합
	물의 양을 바르게 비교한 경우	2점	4점
	답을 바르게 구한 경우	1점	

2

🖉 8100 mL=8 L 100 mL이고,
7 L 900 mL와 8 L 100 mL의
크기를 비교하면
7 L 900 mL<8 L 100 mL입니다.
따라서 오늘 사용한 물의 양이 더 많습니다.

(답) 오늘

평가 기준	단위를 통일한 경우	1점	합
	물의 양을 바르게 비교한 경우	2점	4점
	답을 바르게 구한 경우	1점	

3

🖉 1 L 200 mL=1200 mL이고
980 mL, 1500 mL, 1200 mL의 크기를 비교하면 980 mL<1200 mL<1500 mL입니다.
따라서 나 용기에 들어 있는 우유의 양이 가장 많습니다.

(답) 나

평가 기준	단위를 통일한 경우	1점	합 4점
	우유의 양을 바르게 비교한 경우	2점	
	답을 바르게 구한 경우	1점	

5. 들이와 무게 (3)

서술형 완성하기　　　　　　　　p. 70

1 4, 600　**답** 4 L 600 mL

2 2, 200　**답** 2 L 200 mL

서술형 정복하기　　　　　　　　p. 71

1

🖉 수조에 남은 물의 양은 가 용기의 들이와 나 용기의 들이의 차와 같으므로
3 L 400 mL − 1 L 500 mL = 1 L 900 mL 입니다.

답 1 L 900 mL

평가 기준	들이의 차를 구하는 식을 세운 경우	2점	합 4점
	답을 바르게 구한 경우	2점	

2

🖉 수조에 부은 물의 양은 가 용기의 들이와 라 용기의 들이의 합과 같으므로
3 L 400 mL + 800 mL = 4 L 200 mL입니다.

답 4 L 200 mL

평가 기준	들이의 합을 구하는 식을 세운 경우	2점	합 4점
	답을 바르게 구한 경우	2점	

3

🖉 수조에 남은 물의 양은 다 용기의 들이와 라 용기의 들이의 차와 같으므로
1700 mL − 800 mL = 900 mL입니다.

답 900 mL

평가 기준	들이의 차를 구하는 식을 세운 경우	2점	합 4점
	답을 바르게 구한 경우	2점	

5. 들이와 무게 (4)

서술형 완성하기　　　　　　　　p. 72

1 5, 8, 가위, 자, 3
　　답 가위, 100원짜리 동전 3개만큼

2 20, 32, 가위, 자, 12
　　답 가위, 클립 12개만큼

서술형 정복하기　　　　　　　　p. 73

1

🖉 가위의 무게는 구슬 6개의 무게와 같고, 풀의 무게는 구슬 8개의 무게와 같으므로 풀이 가위보다 구슬 2개만큼 더 무겁습니다.

답 풀, 구슬 2개만큼

평가 기준	가위와 풀이 각각 구슬 몇 개의 무게와 같은지 아는 경우	각 1점	합 4점
	어느 것이 얼마나 더 무거운지 구한 경우	2점	

2

🖉 바나나의 무게는 100원짜리 동전 13개의 무게와 같고, 귤의 무게는 100원짜리 동전 10개의 무게와 같으므로 귤이 바나나보다 100원짜리 동전 3개만큼 더 가볍습니다.

답 귤, 100원짜리 동전 3개만큼

평가 기준	바나나와 귤이 각각 100원짜리 동전 몇 개의 무게와 같은지 아는 경우	각 1점	합 4점
	어느 것이 얼마나 더 가벼운지 구한 경우	2점	

3

🖉 [방법 1] 물감이 크레파스보다 바둑돌 1개만큼 더 무겁습니다.
[방법 2] 물감이 크레파스보다 클립 7개만큼 더 무겁습니다.

평가 기준	한 가지 방법을 설명할 때마다 2점씩 배점하여 총 4점이 되도록 평가합니다.	합 4점

정답과 풀이

5. 들이와 무게 (5)

1 2000, 2000, 40, 40   **답** 40명

2 1900, 1.9, 1.9   **답** 1.9 t

1

🖉 (쌀 30가마의 무게)$=80 \times 30=2400$ (kg)
$$\Rightarrow 2.4 \text{ t}$$
따라서 쌀 30가마의 무게는 2.4 t입니다.

    답 2.4 t

평가 기준	쌀 30가마의 무게를 kg 단위로 구한 경우	2점	합 4점
	쌀 30가마의 무게를 t 단위로 고친 경우	2점	

2

🖉 트럭에 실을 수 있는 무게는 3 t=3000 kg입니다.
(트럭에 실을 수 있는 상자의 수)
$=3000 \div 30$
$=100$(개)
따라서 상자를 100개까지 실을 수 있습니다.

    답 100개

평가 기준	트럭에 실을 수 있는 무게를 kg 단위로 고친 경우	2점	합 4점
	트럭에 실을 수 있는 상자의 수를 구한 경우	2점	

3

🖉 (옥수수 수확량의 합)
$=500+730+880+620+720$
$=3450$ (kg) $\Rightarrow 3.45$ t
따라서 지혜네 마을의 옥수수 수확량은 모두 3.45 t입니다.

    답 3.45 t

평가 기준	옥수수 수확량의 합을 kg 단위로 구한 경우	2점	합 4점
	옥수수 수확량의 합을 t 단위로 고친 경우	2점	

5. 들이와 무게 (6)

1 400, 2, 900   **답** 2 kg 900 g

2 1, 200, 1, 200, 4, 300
    답 4 kg 300 g

3 과학책, 1, 800, 700, 1, 100
    답 1 kg 100 g

1

🖉 오늘 캔 고구마는 14 kg 600 g보다 5 kg 800 g 더 많으므로
14 kg 600 g+5 kg 800 g=20 kg 400 g입니다.

    답 20 kg 400 g

평가 기준	무게의 합을 구하는 식을 세운 경우	2점	합
	답을 바르게 구한 경우	2점	4점

2

🖉 솔별이와 강아지의 무게의 합에서 솔별이의 몸무게를 빼면
37 kg 350 g−32 kg 500 g=4 kg 850 g입니다.

    답 4 kg 850 g

평가 기준	무게의 차를 구하는 식을 세운 경우	2점	합
	답을 바르게 구한 경우	2점	4점

3

🖉 지혜는 6 kg 600 g 모았고, 한초는 3 kg 300 g 모았으므로 지혜가 모은 책의 무게와 한초가 모은 책의 무게의 합을 구하면
6 kg 600 g+3 kg 300 g=9 kg 900 g 입니다.

답 9 kg 900 g

평가 기준	지혜와 한초가 모은 책의 무게를 각 각 구한 경우	각 1점	합 6점
	무게의 합을 구하는 식을 세운 경우	2점	
	답을 바르게 구한 경우	2점	

5. 들이와 무게 (7)

서술형 완성하기   p. 78

1 l, 800, l, 600 / 2, l, 600, l, 800

서술형 정복하기   p. 79

1

🖉 [방법 1] 수직선으로 알아보기

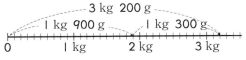

[방법 2] 계산으로 알아보기

$$\begin{array}{r} 1 \text{ kg} \quad 900 \text{ g} \\ + \ 1 \text{ kg} \quad 300 \text{ g} \\ \hline 2 \text{ kg} \quad 1200 \text{ g} \\ \end{array}$$
1 kg ← 1000 g ➡ $\begin{array}{r} 1 \\ 1 \text{ kg} \quad 900 \text{ g} \\ + \ 1 \text{ kg} \quad 300 \text{ g} \\ \hline 3 \text{ kg} \quad 200 \text{ g} \\ \end{array}$
3 kg 200 g

평가 기준	한 가지 방법을 설명할 때마다 2점씩 배점 하여 총 4점이 되도록 평가합니다.	합 4점

2

🖉 [방법 1] 수직선으로 알아보기

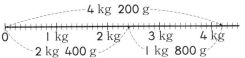

[방법 2] 계산으로 알아보기

$$\begin{array}{r} \overset{3}{} \quad \overset{1000}{} \\ 4 \text{ kg} \quad 200 \text{ g} \\ - \ 1 \text{ kg} \quad 800 \text{ g} \\ \hline 2 \text{ kg} \quad 400 \text{ g} \\ \end{array}$$

평가 기준	한 가지 방법을 설명할 때마다 2점씩 배점 하여 총 4점이 되도록 평가합니다.	합 4점

실전! 서술형   p. 80 ~ 81

1

🖉 모양과 크기가 같은 컵으로 부은 횟수가 더 많을수록 들이가 더 많습니다.
따라서 부은 횟수가 많은 그릇부터 순서대로 쓰면 나, 가, 다입니다.

답 나, 가, 다

평가 기준	바르게 설명한 경우	2점	합 4점
	답을 바르게 쓴 경우	2점	

2

🖉 4 L 370 mL=4370 mL이고
4370 mL와 4280 mL의 크기를 비교하면
4370 mL>4280 mL입니다.
따라서 빨간색 페인트의 양이 더 많습니다.

답 빨간색 페인트

평가 기준	단위를 통일한 경우	1점	합 4점
	들이의 크기를 바르게 비교한 경우	2점	
	답을 바르게 구한 경우	1점	

3

🖉 수조에 남은 물의 양은 물통의 들이와 음료수 병의 들이의 차와 같으므로
4 L 500 mL−750 mL=3 L 750 mL 입니다.

답 3 L 750 mL

평가 기준	들이의 차를 구하는 식을 세운 경우	2점	합 4점
	답을 바르게 구한 경우	2점	

정답과 풀이

4

🖉 감자의 무게는 100원짜리 동전 **28**개의 무게와 같고, 고구마의 무게는 100원짜리 동전 **32**개의 무게와 같으므로 고구마가 감자보다 100원짜리 동전 **4**개만큼 더 무겁습니다.

답 고구마, 100원짜리 동전 **4**개만큼

평가 기준	감자와 고구마가 각각 100원짜리 동전 몇 개의 무게와 같은지 아는 경우	각 1점	합 4점
	어느 것이 얼마나 더 무거운지 구한 경우	2점	

5

🖉 두 상자에 들어 있는 포도의 무게의 합을 구하면 4 kg 850 g+4 kg 850 g=9 kg 700 g입니다.

답 9 kg 700 g

평가 기준	무게의 합을 구하는 식을 바르게 세운 경우	2점	합 4점
	답을 바르게 쓴 경우	2점	

6

🖉 [방법 1] 수직선으로 알아보기

$$4 \text{ kg } 500 \text{ g}$$

0　　1 kg　　2 kg　　3 kg　　4 kg

1 kg 900 g　　　　2 kg 600 g

[방법 2] 계산으로 알아보기

```
        3    1000
    4 kg 500 g
  − 2 kg 600 g
   ───────────
    1 kg 900 g
```

평가 기준	한 가지 방법을 설명할 때마다 2점씩 배점하여 총 4점이 되도록 평가합니다.	합 4점

쉬어 가기   **p. 82**

6 자료의 정리

6. 자료의 정리 (1)

1 큰, 적은, 마, 마   답 마 공장
2 큰, 많은, 가, 다, 가, 다
    답 가 공장, 다 공장

1

🖋 큰 그림의 수가 가장 많은 마을은 새싹 마을 입니다.
따라서 나무를 가장 많이 심은 마을은 새싹 마을입니다.

答 새싹 마을

평가 기준	큰 그림의 수를 이용하여 설명한 경우	2점	합 4점
	답을 바르게 쓴 경우	2점	

2

🖋 큰 그림의 수가 가장 적은 마을은 사랑 마을 입니다.
따라서 나무를 가장 적게 심은 마을은 사랑 마을입니다.

答 사랑 마을

평가 기준	큰 그림의 수를 이용하여 설명한 경우	2점	합 4점
	답을 바르게 쓴 경우	2점	

3

🖋 믿음 마을과 큰 그림의 수가 같은 마을 중에 서 작은 그림의 수가 더 적은 마을을 찾으면 행복 마을이고, 큰 그림의 수가 믿음 마을보 다 적은 마을을 찾으면 사랑 마을입니다.
따라서 믿음 마을보다 심은 나무의 수가 적은 마을은 행복 마을과 사랑 마을입니다.

答 행복 마을, 사랑 마을

평가 기준	그림의 수를 이용하여 설명한 경우	2점	합 4점
	답을 바르게 쓴 경우	2점	

6. 자료의 정리 (2)

1

마을별 학생 수

마을	학생 수
별빛	☺ ☺ ⊙⊙⊙⊙⊙⊙⊙
달빛	☺ ⊙⊙⊙⊙⊙
하늘	☺ ☺ ☺ ☺
호수	☺ ⊙⊙⊙⊙⊙⊙

☺ 10명 ⊙ 1명

2, 그림, 그림, 마을별 학생 수

1

🖋 감자의 생산량이 몇백 몇십 몇 또는 몇백 몇 십이므로 가장 큰 그림은 100 kg, 두 번째 로 큰 그림은 10 kg, 가장 작은 그림은 1 kg 으로 하여 3가지로 나타내는 것이 좋습니다.

答 3가지

평가 기준	바르게 설명한 경우	2점	합 4점
	답을 바르게 구한 경우	2점	

2

🖋

동별 신문을 보는 가구 수

동	가구 수
가	🗞🗞🗞🗞 🗞🗞 🗞🗞
나	🗞🗞🗞🗞 🗞 🗞🗞🗞🗞
다	🗞🗞🗞🗞 🗞🗞🗞🗞
라	🗞🗞🗞🗞🗞🗞 🗞🗞
마	🗞🗞 🗞🗞🗞🗞

🗞 10가구 🗞 1가구

① 그림을 2가지로 나타냅니다.
② 알맞은 그림으로 나타냅니다.
③ 조사한 수에 맞도록 그림을 그립니다.
④ 그림그래프의 제목을 동별 신문을 보는 가구 수라고 붙입니다.

평가 기준	그림그래프로 바르게 나타낸 경우	3점	합 6점
	그리는 방법을 바르게 설명한 경우	3점	

정답과 풀이

6. 자료의 정리(3)

서술형 완성하기   p. 88

1

태어난 계절별 학생 수

계절	봄	여름	가을	겨울	합계
학생 수 (명)	34	27	15	24	100

태어난 계절별 학생 수

계절	학생 수
봄	☺☺☺ ☺☺☺☺
여름	☺☺ ☺☺☺☺☺☺☺
가을	☺ ☺☺☺☺☺
겨울	☺☺ ☺☺☺☺

☺ 10명
☺ 1명

34, 27, 15, 76, 100, 76, 24

서술형 정복하기   p. 89

1

반별 우유를 먹는 학생 수

반	1반	2반	3반	4반	5반	합계
학생 수 (명)	24	27	17	30	21	119

반별 우유를 먹는 학생 수

반	학생 수
1반	🥛🥛 🥛🥛🥛🥛
2반	🥛🥛 🥛🥛🥛🥛🥛🥛🥛
3반	🥛 🥛🥛🥛🥛🥛🥛🥛
4반	🥛🥛🥛
5반	🥛🥛 🥛

🥛 10명
🥛 1명

3반의 학생 수를 뺀 나머지 학생 수가
24+27+30+21=102(명)이므로
3반의 학생 수는 119−102=17(명)입니다.

평가기준	3반의 학생 수를 뺀 나머지 학생 수의 합을 구한 경우	2점	합 6점
	빈칸에 알맞은 수를 구한 경우	2점	
	그림그래프를 완성한 경우	2점	

2

농장별 호박 생산량

농장	신선	향기	쑥쑥	햇살	합계
생산량 (kg)	360	200	420	170	1150

농장별 호박 생산량

농장	생산량
신선	🥒🥒🥒 🥒🥒🥒🥒🥒🥒
향기	🥒🥒
쑥쑥	🥒🥒🥒🥒 🥒🥒
햇살	🥒 🥒🥒🥒🥒🥒🥒🥒

🥒 100 kg
🥒 10 kg

신선 농장을 뺀 나머지 농장의 생산량이
200+420+170=790(kg)이므로
신선 농장의 호박 생산량은
1150−790=360(kg)입니다.

평가기준	신선 농장을 뺀 나머지 농장의 호박 생산량의 합을 구한 경우	2점	합 6점
	빈칸에 알맞은 수를 구한 경우	2점	
	그림그래프를 완성한 경우	2점	

6. 자료의 정리(4)

서술형 완성하기   p. 90

1 가, 나

서술형 정복하기   p. 91

1

가영이의 말이 옳습니다 10대를 나타내는 그림이 가장 많은 주차장은 라 주차장이므로 자동차 수가 가장 많은 주차장은 라 주차장입니다.
따라서 가영이의 말이 옳습니다.

평가기준	누구의 말이 옳은지 바르게 쓴 경우	2점	합 5점
	이유를 바르게 설명한 경우	3점	

2

• 봄을 좋아하는 학생은 15명입니다.
• 가장 많은 학생들이 좋아하는 계절부터 차례로 써 보면 봄, 여름, 가을, 겨울입니다.
• 여름을 좋아하는 학생 수는 겨울을 좋아하는 학생 수보다 5명 더 많습니다.

평가 기준	그래프를 보고 알 수 있는 사실을 한 가 지씩 설명할 때마다 2점씩 배점하여 총 6 점이 되도록 평가합니다.	합 6점

주황색 구슬을 뺀 나머지 구슬 수가
$140+180+170+220=710$(개)이므로
주황색 구슬 수는 $900-710=190$(개)입
니다.

평가 기준	주황색 구슬을 뺀 나머지 구슬 수의 합을 구한 경우	2점	합 6점
	빈칸에 알맞은 수를 구한 경우	3점	
	그림그래프를 완성한 경우	1점	

실전! 서술형 p. 92 ~ 93

1

✏️ 큰 그림의 수가 가장 적은 것을 찾으면 5월입니다.

답 5월

평가 기준	큰 그림의 수를 이용하여 설명한 경우	2점	합 4점
	답을 바르게 쓴 경우	2점	

2

✏️ 6월보다 큰 그림 수가 많은 달은 7월이고 6월과 큰 그림의 수가 같고 작은 그림의 수가 많은 달은 8월입니다.

답 7월, 8월

평가 기준	그림의 수를 이용하여 설명한 경우	2점	합 4점
	답을 바르게 쓴 경우	2점	

3

✏️ 배달되는 우유의 수는 몇십몇이므로 큰 그림은 10개, 작은 그림은 1개로 하여 2가지로 나타내는 것이 좋습니다.

답 2가지

평가 기준	바르게 설명한 경우	2점	합 4점
	답을 바르게 구한 경우	2점	

4

✏️

색깔별 구슬 수

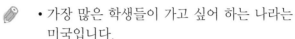

색깔	구슬 수
빨강	🔵🔵🔵🔵🔵
노랑	🔵🔵🔵🔵🔵🔵🔵🔵
파랑	🔵🔵🔵🔵🔵🔵🔵
초록	🔵🔵🔵🔵
주황	🔵🔵🔵🔵🔵🔵🔵🔵🔵

🔵 100개
🔵 10개

5

✏️ • 가장 많은 학생들이 가고 싶어 하는 나라는 미국입니다.
• 가장 적은 학생들이 가고 싶어 하는 나라는 스위스입니다.
• 조사한 학생 수는 모두
$32+13+16+24=85$(명)입니다.

답 85명

평가 기준	그래프를 보고 알 수 있는 사실을 한 가 지씩 설명할 때마다 2점씩 배점하여 총 6 점이 되도록 평가합니다.	합 6점

쉬어 가기 p. 96

Memo

3 학년이 ✓ 꼭 알아야 한
수학 서술형